余秋雨 著

作家出版社

目录

空 岛

题记

我用历史纪实的笔调，写了一部悬疑推理小说。但是，聪明的读者很快就看出来了，纪实和悬疑都不是目的，而是指向着一个“意义的彼岸”。

那彼岸，有关一种美丽的生命哲学。尽管这种美丽总是伴随着毁灭。

当然，这一切都属于中国。中国存世那么悠久，绝大多数故事都散落在历史记载之外。散落，必定会遗失；遗失，又可能被找回。

用什么方法找回？只能是艺术，象征的艺术。

——作者

引 子

这座小竹桥有年头了，扎竹的篾条已经松脱。有一处，眼看就要掉下来，不知道前面一个过桥人是什么时候过的，脚下有没有一点感觉。

这次过桥的是一个紫衣男子，走路很有样子。仔细一看，那样子在于他的身材。这种身材一般被称为“衣架”，不管什么服装穿上去都能挺拔起来。

正是这挺拔劲儿，他才走了一半，竹桥断了。或者说，篾条完全松脱。紫衣架一下子掉进水里，喝了几口泥水。

用手划拉几下，但肩上背着一个不小的包袱，划不动。只能把包袱卸掉，但刚刚走在路上时怕遇到不测，把包袱缠进了衣襟边的布扣，现在怎么解得开？

想把衣服整个儿扒掉，使了一下力，根本不可能，反而多喝了几口水。

人生真是凶吉难卜，方才还走得好好的，顷刻之间，眼看就要灭顶。自己还那么年轻，没想到死亡突然来临。没有一点先兆，没有一点预计，没有一点准备，生命如斧劈刀切，霎时断裂。紫衣架只能直着嗓子高喊救命，但心里知道，这地方冷僻极了，走了一个时辰没见到一个人。

喊总得喊，不管怎么说，总不能就这样无声无息地结束自己。于是，又喊，再喊。他决定，必须喊到无法再喊的那一刻。

他显然不会游泳，已经喝了好几口水，又呛着了。嘴里喊不出声音，只能拼尽全力伸手乱抓。什么也抓不住，越是用力，越是让满嘴满鼻呛成窒息。再挣扎也无用，只能放弃。放弃挣扎，放弃生命。

就在彻底绝望的最后一刻，硬邦邦地，一根竹竿捅到了肩膀。紫衣架连忙双手拉住，抬头一看，拿着竹竿救人的似乎是一个身材瘦削的灰衫小伙子，但在慌忙挣扎中看不真切。这竹竿，应该是从垮掉的桥架中抽出来的。

这个灰衫小伙子，刚才怎么没有看到？只有一条路，任何一个人影都逃不过别人的眼睛。难道，他没有走在路上，只在路边的树林中穿行？

就像影子，穿灰衫的影子，在生死关头及时到达，伸下了一根竹竿，来救命。

灰影人伸到水里来的竹竿，握上去有点滑。紫衣架连忙用两手紧紧握住，用全身的力量朝岸边灰影人那里游动。灰影人也在一截截地往回收拉竹竿。

水有浮力，总算一点点到河边了，脚下已踩到河底的淤泥。但是，这淤泥是一个斜坡，脚刚踩上去，一用力，就滑了一个大踉跄。

这一踉跄，紫衣架就把所有的力气都拽在竹竿上了，居然一下子，将握着竹竿另一头的灰影人拉下了水。

“扑通”一声，是实实在在的人，不是影子。而且，灰影人在下水时也发出了一声尖尖的轻叫。

灰影人立即与紫衣架撞了个满怀。

这一撞，把紫衣架完全撞傻了。

当他猛烈地贴及了灰影人的身子，一种从未感受过的柔软，使他浑身震颤。不止是柔软，而且是气息，不是鼻子闻得到的气息，而是一种让周围的一切都柔软的气息，串通全身。

快速撞击又快速推拒，虽然推拒却已契入，在一眨眼之间。

瘦削的身材怎么会有那么惊人的柔软？他被一种从未感受过的不可思议所“点”住。

他呆立在水中，一时无思无念、无意无绪、无知无觉。

他是一个冰封了的男性板块，今天撞出了一条裂痕。也许，不止是裂痕，而且是裂纹。裂纹快速延伸，拽拉着亮晶晶的冰凌。

一切都还没有那么快地反应过来。等他反应过来，眼前已经不存在那个撞击体。他还站在靠岸的河里，踩着淤泥，手上握着那根竹竿。

他怀疑刚才发生的一切。难道是一个白日梦的幻觉？

上岸后低头，发现有一道水迹拖过河边的小路，进入了树林。

他快速地顺着水迹进入树林，却又不敢往前走。粗粗细细的树枝阻拦着他，拉扯着他，嘲笑着他。

内心也在阻拦，因为再往前走，不知会遇到什么，但他能约略预感，一定会有陌生的奇异。他有自己的目的地，已经靠近，他不能因为偶遇而走神。

他这次已经整整步行了一个半月，终于到了。在路上打听过，再翻过一个山岗，就会是目的地。

目的地是两个世仇城堡，一个叫“戚门壕”，一个叫“陈家卫”，一听名字就兵气森森、战氛浓烈。他已经听说，结仇，已经二百多年。这二百多年间，发生过大小械斗三百多次。

两个家族都绝不迁徙。活着，繁衍，就是为了把地占住，与对方死拼，让祖先出一口气。

紫衣架这次来，完全是靠了从苏州去昆山半道上一位姓陈男子的指引。准备先在陈家卫找旅馆，然后等机会，经过戚门壕出海，去武运岛。

紫衣架上岸后曾问过路，但越是靠近越难问，路人只要一听是问戚门壕和陈家卫的事，就立即走开，低头不语。

这就麻烦了，他想，只能过一会儿翻上山岗的时候，细看眼下的布局和路途，好好猜测一下了。

刚从河里爬起来，浑身湿透，被风一吹，有点寒意。这么热的天，怎么会产生寒意？他很快明白了，已经到了海边，吹在身上的，是海风。

自己有寒意了，立即想起了另一个人。这对他这么一个独来独往的单身汉来说，还是第一次。

另一个人，就是刚刚为了救自己也落了水的灰影人，一个突然来到又突然消失的灰影女子。她同样湿淋淋的，吹着同样的海风。

那种柔软，那种气息。当然，还有那种瞬刻之间的见义勇为。

按照世俗的说法，她是自己的救命恩人。没有她，就不再有自己。但是，这个对自己生命极端重要的生命，却已经毫无痕迹。一个人，平生最要紧的存活支点并不很多，但总是抓不住。

她是过路，还是回家？回家，回哪里？是戚门壕，还是陈家卫？

第一章

1

前面所说的落水事件，发生在清代嘉庆五年，按照国际公历，也就是一八〇〇年，十九世纪的第一年。

说准确一点，是十九世纪第一年的夏天。

世上很多偶然小事，一探根脉却让人震惊。这个落水事件，就牵连到中国最大的文典《四库全书》、中国最大的贪官和珅、中国最大的海盗王直，跨时好几百年。这实在太让人好奇了，那就请允许我费点事，从远处说起，再慢慢绕回来。有的段落比较复杂，我不知道能不能讲明白。

先从《四库全书》说起。乾隆皇帝在晚年为了彰显“盛世修典”的气派，下令召集全国各地学者，在他眼皮底下把中华文化几千年的全部重要文献汇编在一起。这事，最难的不是学识，而是张罗。

那么多学者，名气不小，脾气很大，方言各异，举止古怪，谁能把他们拉扯在一起？那只能靠“全朝实权第一人”和珅了。

和珅对各地学者照顾得热情周到，又派出一批年轻的书吏殷勤侍候。那些书吏其实也是他的“情报人员”，帮助他更精准地掌握了汉族文人，特别是南方汉族文人的思想动态。

这天，一个书吏向他报告，徽州籍的王进士与余姚籍的徐进士一见面就争吵起来了。

“一见面就争吵？为什么？”和珅问。

书吏就把争吵的过程仔细描述了一番。

两位进士一见面，余姚的徐进士就对徽州的王进士说：“从名帖上看，贵府在歙县，是出砚台的好地方，我家几代都用歙砚。”

但是，这位徐进士把“歙”念成了“西”。这是不奇怪的，这个字本来就有两种读法，“西”的读法更通行。但在歙县的地名上，却是另一种读法。对中国传统文人来说，别人读错自己家乡的地名是不可容忍的，他们总是高看家乡的知名度。

“我要纠正一下，我家乡歙县的歙，不读‘西’，读‘麝’，‘麝’香的‘麝’。顺便，请告诉一下你家长辈，那砚台的正确读名是什么。”王进士的语言十分犀利，除了保卫家乡的名号，还因为，自己在进士榜上的排名远远高于徐进士。

受到王进士的抢白，徐进士一下来气了。只要是中国人，最忌讳人家要教训自己家的长辈。他才思敏捷，冷笑了一下就说：“我家长辈不会忘记贵乡的地名，因为二百四十多年前贵乡有一位强人，在我们家乡留下了几笔重债。很巧，他也姓王。从此，我们那里的人怕提贵乡，把砚台的名字也另读了。”

“留下几笔重债？”王进士不知道他在说什么。

“说重债是客气了，是血债，而且是灭村屠城的血债，在明代嘉靖年间。”徐进士提醒王进士。

王进士立即明白过来了，说：“我知道，你在说五峰先生的事。五峰先生确实是我的本家，我们整个王家都不讳避，整个歙县都不讳避。”

“五峰先生？那是他的号，还是直呼其名，叫王直吧。整个明代，倭寇成为第一大患，而倭寇的第一首领，非贵家的这位先祖莫属了！”徐进士提高了声调。

王进士似乎早有准备，平静地说：“这事说来话长，我现在不想与你辩。只问一件事，倭寇，是日本海盗，王直，是中国徽州歙县人氏，他怎么会成为第一首领？如果他是第一首领，为什么不叫徽寇、歙寇？”

“这……”徐进士语塞了。

王进士用鼻子“哼”了一下，转身就走。

……

书吏描述完这段争吵，就不再作声，但两眼直直地看着和珅，好像还有什么话要说。

和珅也直直地看着他，说：“就吵这个？明朝的事，倭寇王直，二百多年了，还有什么意思？”

书吏说：“开始我也觉得没有意思，但我后来侍候徐进士回寓所，他还在给我说王直的事。有一句话，我觉得需要向您禀报。”

“什么话？”和珅问。

“徐进士说，直到今天很多南方长者还在疑问，王直的财产富可敌国，却一直没有找到。”

这一下和珅果然来了精神，问：“你是说，王直被杀后，财产不知去向？”

书吏点头：“不知去向。”

和珅不再讲话。这话题，触动了他的神经。

他十分清楚，乾隆朝经济繁荣，但由于奢靡过度，又由于自己一直在营建一个庞大的私家财富大城堡，朝廷的库帑已出了问题。乾隆皇帝并不知道财政的艰难，谁也不敢对他实言。万一乾隆皇帝察觉了什么，下令盘查，自己就会很不安全。因此，如果能用朝廷的力量追寻到王直的遗存，至少可以补充库帑。

如果追寻不到，那大笔财富就有可能落入当代强人之手。此刻，天地会秘密团体正蔓延南方，福建又兴起了由蔡牵领头的渔民、船工暴动。他们当然很需要钱，如果能够得到、或者将要得到王直遗存，那必定是一场大灾难。和珅想，既然民间有那么多传言，即使那些强人还没有得到，也不会不听到，因此，也一定在寻找。

这是一场世代相传的地下暗战，这是一场决定荣衰的秘密争夺。而且，与平日自己的贪污、侵吞不同，参与这场暗战和争夺，还能获得一个有利朝廷的好名声……

想到这里，和珅的眼睛亮了。

2

此后，和珅与各位学者聊天，总会频频地拐到明代的倭寇事件上。这是前朝的事，说起来不犯忌，大家都说得很直率。毕竟是学者，言之有据，思路清晰。

和珅很快就明白了，把大明王朝搅得惶惶不安的倭之患，最高首领确实不是日本人，而是王直。日本的海盗、浪人、流氓固然是主体，但都接受王直和其他几个徽州人如徐海、徐惟学的摆布。

王直通过贸易从葡萄牙船队那里取得了大量新式火枪，又把这些火枪卖给正处于战国时代的日本人。这使日本的军事形势和政治格局发生了历史性的变化。而他本人，也成了让日本人不得不争相追随的人物。

他是一个海盗王，更是一个国际贸易的天才。两种身份叠加在一起，当然更强悍了。他会有多少财产，人们无法估量。

和珅还知道了，王直在嘉靖三十七年中计被捕，但处置王直案件的最高官员吴宗宪也受到朝廷的弹劾和调查，因为吴宗宪牵涉到严嵩的案件。吴宗宪几年后在狱中自杀，政治角力波诡云谲，谁还想得到王直和他的财产呢？

和珅搞清了事情的基本轮廓之后，认真想了好久。他觉得追寻虽然没有把握，甚至毫无线索，但数额之大让他难以抵挡，而在毫无线索中发现一丝依稀线头，又挑拨起了他心底的好奇。

和珅决定，追寻王直遗存的事，必须交由自己掌控的军机处来秘密进行。他已经与军机处的两个专任官员“军机章京”商谈很久，布置了追寻计划。由于他反复说明了这事关及朝廷库帑、天地会和蔡牵暴动，因此全部追寻任务确实也名正言顺，成了军机处的头等大事。那两个“军机章京”，深知轻重。

和珅特别关照，这件事能否查出结果，完全不得而知，因此，暂不奏报乾隆皇帝。乾隆皇帝一向好大喜功，又被和珅历来的办事效率宠坏了，如果他知道了，就会不断查问，容不得久查无着。这一来，麻烦就大了。而且，皇帝的不断查问，又会引起朝廷各部关注，万一那笔财富与哪个系脉有涉，事情就会变得很混乱。

于是，和珅开始安排一件平生难事：给予追查的权力，却又必须无声无息，无痕无迹。

他平日再忙，也经常会把历书和舆图翻出来，让目光在那些年号和线条间扫动。

3

不久，一些黑衣人开始从京城出行。

最早出行的两个黑衣人，现身在南下的大船上。大船是《四库全书》编纂完成后，送几位南方学者回家的。反正大书编完了，学者们在船上心情放松，就与那两个黑衣人天天神聊，以解旅途之闷。那两个黑衣人，一个中年人，姓何，自报名字为“何求”，学者们一听，直夸名字起得好，有人生哲思；另一个是年轻人，姓李，自报的名字大家都没有听清楚，也就没有追问。

两个黑衣人自称此行是陪送学者，却又说顺带办点别的事。何求说是到扬州查核一笔漕运税银，姓李的说是老父有病，顺道省亲，但他们却又都客气地说，陪送是“此行主旨”。

神聊到第四天，明朝倭寇，成了主要话题。

两个黑衣人慢慢听出来了，王直的事，在徽州、浙江流传很广，但最重要的内容却最含糊。例如，像王直这么聪明的人，对家产一定早就有隐秘的安排。安排的核心，必然是照顾宗族血缘，代代相传。那就是说，追查遗产，应该寻找一份可靠的家谱，然后顺藤摸瓜。但是，这份家谱在哪里？

黑衣人何求问："王直既然都已经在日本九州立国了，任命高官不分国籍，哪里还在乎家谱？"

一位年长的学者说："那他为什么还会回国而被擒？照他的狡诈阅历，不会不懂得朝廷的诱降之计，但他还是冒着九死一生的风险回来了，为什么？最终丢不下桑梓血亲。因此我敢断言，家谱还是修了。"

黑衣人何求诚恳地点头，却又小声追问："家族已经分崩离析，秘藏一份家谱在哪个后代手里，极可能毁损，现在大概早就不在了。"

那位年长的学者说："如果遗产还在，按惯例，那就一定还会有一个家谱抄本，在一家藏书楼收藏着。这样，可以避免谱系流失，为后代分配遗产留下了依据。浙江的天一阁、嘉业堂都收了很多家谱，但那太容易被旁人发现了。王直的后代懂事，不会藏在这么有名的藏书楼。应该是在二流小藏书楼，而且是在不会倒闭的藏书楼。"

"不会倒闭的藏书楼？"黑衣人何求带着巨大的好奇追问。

年长的学者含蓄地一笑，说："是啊，只有不倒闭，家谱才存得下去。但是，一家小藏书楼为什么能历数代而不倒闭？如果没有特殊理由，那只能是因为有一笔非常可观的预先赞助。王直如果要在哪家藏书楼暗藏家谱，那么，一定会提供这种预先资助的。”

黑衣人何求睁大双眼看着这位学者，然后闭住了眼睛。想了一会儿，他又把眼睛睁开了，说:“对这件事，我可以归纳几点了。第一，王直如果真有大笔遗产，应该还留有一本家谱；第二，这本家谱应该藏在一家不大却又不会倒闭的藏书楼里；第三，这家藏书楼财源神秘，无人知道。”

他的归纳引起了大家的兴趣，一位年纪稍轻的学者说:“我们不想丝毫沾染王直遗产，但对那种说不清财源的小藏书楼却充满了好奇。真有吗？会是哪一家？”

黑衣人何求说：“有疑点，就有线索。不怕麻烦追导下去，说不定巧上加巧，万中遇一，撞上了。”

以后几天，几个人在船上无聊，就爬梳着江淮流域各种藏书楼的一个个屋顶，一堵堵高墙。爬梳不到的，就想象着。

终于,扬州到了。黑衣人何求离船上岸了,说是要急着去查核漕运税银。姓李的黑衣人还要坐原船去池州，然后走陆路到徽州。几位学者,也分别到扬州和徽州。于是,大家就在扬州码头分手了。毕竟同船相处了那么久,互相频频作揖,依依惜别。

4

三个月之后，扬州赵氏翰林府的藏书楼海叶阁，招收了一名二十多岁的高个子秀才，叫岑乙，来自于东边不太远的泰州。

这次招收，有点蹊跷。

赵氏翰林府已经传了五代。现在的主人赵弼臣并没有官职，年逾半百，资产雄厚，虔诚地守护着祖上传下来的藏书楼海叶阁。

海叶阁一直由三位学者在管理，他们年轻时叫“抄目员”，现在年纪大了，又因为精通文史，上上下下都尊称为“阁老”。“阁老”是朝廷中的一个尊称，大致是指入阁办事的大学士，但在这里，则只是专指海叶阁这个小“阁”，叫起来有点幽默。

主人赵弼臣看他们已经一天天年老，手脚不便，多次提出要招收一个年轻帮手。但三位阁老眼界极高，不相信时下还能招得到真正“知书”的年轻人，因此一直坚称，三个人忙得过来。

有一次赵弼臣说，如果招来的年轻人学识不够，他们可以严加教导。他们三位笑着说：“那不就更忙了吗？”

管理图书，大半是体力活儿。在书橱前爬上爬下，在书堆间搬来搬去，确实不是老年人的活儿了。赵弼臣听说有一位年轻的泰州秀才上门来求职，便轻轻一笑，撇开那三位阁老，从旁挽请两位饱学塾师来交谈测试。测试的结果非常满意，于是，岑乙就站到了三位阁老面前。

岑乙踏进海叶阁时的脚步，是意气风发的。但是一见密密层层的书橱书架，步子就放轻了，变得蹑手蹑脚。由惊喜到震慑到恐惧，精气神几乎全被吸走。

这些书橱书架，还只是从过道的窗口看到的，岑乙不能想象，如果真的走到书橱之间的窄巷里边，抬头一看，会把自己吓成什么样。

走完一条不长的石板过道，岑乙看见一个紫檀木的大厅。

三位老人一派端肃，都用冷眼看着自己。

坐在上首的清瘦老人，满头白发，梳理得非常整洁，应该是大名赫赫的邹阁老，南北著名的一流版本学家。因为地位，他显得比其他两位阁老更加平静，眼神里还略略带有打招呼的意思，证明他是这个见面仪式的主人。

邹阁老抬手示意，让岑乙坐下。

岑乙没有坐，先向他鞠躬，再向另外两位阁老鞠躬，然后说:“我没想到第一天就有缘拜见三位前辈。在下年轻学浅，但案头一直放着邹阁老的大作《皇甫诞碑考》，文后还有两份同事跋语，想必是出于这两位阁老的手笔了。”

这真是一个聪明的开头，把年岁和学养之间的万水千山一下子跨越了。即使在当时的书法家中，见过皇甫诞碑的人也极为稀少,因此邹阁老所作的考证是一项“冷僻研究”。岑乙由此说起，就在尊崇邹阁老的同时，完成了最简洁的自我介绍。

邹阁老一听，两眼闪光，说:“我那小册子没印几本，你居然读到了。对唐代楷书，也有关注？”

岑乙说 :“赞成邹阁老的说法，唐楷以褚遂良为最。”

边上一位阁老笑着问 :“那么虞世南、欧阳询呢？《皇甫诞碑》可是欧阳询的呀！”这个问题，明显带有进一步“口试”的意味。虞世南和欧阳询，都是唐代的楷书大师，与褚遂良齐名。

岑乙说:“虞世南、欧阳询也都是上上品，但他们比褚遂良长了差不多四十岁，隔两代，褚是青出于蓝了。”

“呵呵！”邹阁老朗声笑了起来，“你还有心查过他们的年岁。我也查了，他们两位阁老也比你长了差不多四十岁，我就更老了，同样有青蓝之比啊！”

岑乙一怔，慌忙道歉：“这不能比……”

“不能比？是说你不能与我们比，还是说我们一起不能与唐代比？”邹阁老继续笑问。

“都不能比，都不能比。”岑乙说。

“好了，我是玩笑。不管怎么说，从今天起，我们三个多了一个同事，很高兴。”

“岂敢岂敢，我只是学生，可能连当你们的学生也没有资格。”

邹阁老再次抬手示意岑乙入座，这次岑乙坐下了。

四人之间已变得轻松，愉快地交谈起来。

岑乙恭敬地询问了海叶阁的藏书分类。这个话题一开，三位阁老的语势就收不住了。他们平常虽然也不断在谈书，却都黏着于一些专业局部，从来没有像教师开课一样完整讲述。今天对着年轻而又懂事的岑乙，他们拥有了这个机会，于是招呼仆役一次次加茶，越谈越畅快。

岑乙求学用功，以前对古今书目已有一些基本概念，但听三位阁老如数家珍地谈了一下午，还是惊呆了。

海叶阁不仅典籍齐备，而且还在不停搜购。听起来，就在近几个月，苏州、南京的书商就送来过好几批珍罕版本。远在济南、天津的书商也会送书来。各地书商为什么竞相趋附？一是因为它识货，二是因为它出价慷慨。

谈了一个下午，三位阁老邀请岑乙一起用餐，边吃边谈。

使岑乙深感意外的是，三位阁老对扬州城里的宴筵场所、昆曲戏班，都很熟悉，只是现在年岁高了，懒得出门。

就拿这顿晚餐来说把，三位阁老笑言要开一桌“小小的欢迎宴”，便相约各人点一家著名菜馆的一道佳肴，不准重复。他们闭着眼睛，在扬州著名菜馆的牌号间斟酌。岑乙听到了槐月楼、双松圃、胜春楼，还有两个牌号不像菜馆，一个叫“涌泉”，一个叫“碧芬泉”，岑乙还特地问清了怎么写。

终于三位阁老点定了，又觉得不畅意，还各点一道点心。

岑乙注意到，三位阁老在点菜的时候，两个仆役只点头，不细问，刚等点完就挎着食筐出门了。可见这样的事经常发生，早已习惯。

从这件小事，岑乙更明白了，赵府几乎没有财务上的拘束。

5

岑乙是泰州人，对于自古就著名的扬州，充满好奇。每天整理完海叶阁的书籍，就到街上闲逛游玩、喝茶听曲。赵府的管家怕他迷路，问他要不要派一个小厮陪着，他说不要。

“迷路扬州，才是文士风流。”他在心里说。

乾隆年间的扬州，繁盛到了极致。皇帝的几度南巡，盐商的巨大资本，享乐的历史传统，层层叠叠加在一起，使这座古城的一切市嚣都变成了乐曲，一切尘氛都变成了花香。郑板桥当时就写了一首题为《扬州》的诗，其中有两句：

千家养女先教曲，

十里栽花算种田。

用至朴之句，道尽了奢华。

奢中之奢，是昆曲戏班的风行。专业戏班和业余戏班很多，观剧索价不菲却又日夜爆棚。不知昆曲者，就不能成为扬州贵人。说起来，苏州也算是最有资格的富贵之城了，又是昆曲的养成之地，但当时有诗云："拾翠几群从茂苑，千金一唱在扬州"。这里所说的"茂苑"就是苏州，与扬州一比，它只成了戏班的出发地。

在当时，大量戏班和名角的名字，成了扬州市民的常识。甚至，连各班班主、教习、乐手的名字，也都知道。

名角总是名角，一旦登场就会成为全城盛事，结果他们也就不多登场了，成了各个戏班"奇货可居"的资本。例如，要想看顾天一、任瑞珍、吴仲熙的戏，就很不容易。更神秘的是那些业余戏班的名角，他们是从哪里来的？本职是什么？亮丽登台之后又到哪里去了？是本城人吗？都不清楚。因为不清楚，更成了街头巷尾的热烈话题。这些业余戏班的名角中，有费坤元、陈应如、徐蔚琛、王山霭、江鹤亭、刘禄观、叶友松，尤其是后来名气更大的汪颖士、杨二观等等。

由于他们的家门、性别、功名、财富都疑窦重重，那么，如果有几个著名的财主和官员涂了脸匿身其间，刻意模仿，也不是没有可能。

除非，实在是公认的表演天才，那就不是富豪和官僚所能模仿的了。

公认的表演天才而又完全不知来历的，当时扬州城里有四个。其中，天才中的天才，是演正旦的吴可闻。

吴可闻，扮相艳丽无双，表演炉火纯青，唱功几若天人，但是，何时出演，能演几场，无人知晓。就像是晚春山谷的一缕轻云，影踪不定，匆匆而来，又匆匆而去。在扬州城，凡是看过吴可闻演出的人，都高人一头，甚至趾高气扬。但他们，对于吴可闻，也“无可闻”。

三位阁老在闲谈中也曾经多次提到过吴可闻的名字，但他们似乎不是在说一个名角，而是在说一种“稀缘”，就像他们在无意中碰到一个价值连城的珍本。不同的是，阁老们都见过不少珍本，却没有看过吴可闻的任何一次演出。

“一个大城市就像是千万人的一次大迷藏。有人在躲，有人在追，躲得越快，追得越猛。”岑乙边走边想，正好走过一个戏院的门口。

戏院叫“梓园”，岑乙仿佛听阁老他们说过，吴可闻偶尔登台，就在梓园。这让他颇为兴奋，走前几步看，又走后几步看。园子关着门，看来今天没有演出。但他满脑子都是场子里的喝彩声，因此明明走过去了又回过身来再看一遍。

没有演出的戏院门口，比其他街区都冷清。戏院门口有一个麻石板铺成的小广场，此刻也杳无人影。岑乙正四处打量，忽然发现右首街口的一个石柱后，飘闪过一袭黑衣。

这黑衣他非常眼熟。

原来，他被盯梢了。

盯梢者，就是一个月前安排他进赵府的人，那飘闪的黑衣。

岑乙很想见他。

当初什么也没有说明白，只是由老家泰州的一位王举人领着找来的，王举人曾授过自己课业。黑衣人自称姓何，宿州人，一见面就客气地褒扬了岑乙几句，说“文史悟性极高，为人谦和收敛”，那一定是从王举人那里听来的。然后，黑衣人便把岑乙拉过一边，避过王举人，提出要岑乙到扬州赵府应事。

岑乙刚抬眼等待他说出去赵府的理由，却听到了一个早就企盼的优渥代价：立即用青石修建岑乙父母的墓园。

岑乙三岁丧父，母亲则在一年前刚刚离世。

这个代价，能让一切中国孝子做任何事情了。但当时岑乙还是看了一眼让在远处的王举人，王举人没有表情，岑乙却即刻产生了安全感。自己的这位业师，纯粹是学问中人，不可能牵涉任何黑幕。

岑乙顺利进入了海叶阁，但几乎天天在想，那人到底要我做什么？

黑衣人没有留下联系方式，只说由他找来。但怎么在街口一闪，就不见了？

岑乙追过去，在街巷间着急地东张西望，没找着。

那么，明天、后天我再到这里来吧，表示我在等他。

明天、后天，每次来了都要在梓园的门口痴痴地看。好像一直没有要开演的意思，彻底冷清。这与扬州其他戏班子的场子就不同了，那里永远热闹，这班走了那班来。梓园一定是由于吴可闻登过台，很多演员就不敢来了。

太大的名声，总是跟着太大的寂寞。不仅自己寂寞，还包括自己曾经活动的场所。因此，是吴可闻害了梓园。

每天来了半个月，见到黑衣飘闪过六七回，却不见他过来。

你不过来，是你自己的事，我反正来等过了。那么多回，都看见了，再也不能怪我。岑乙心想。

这天他又从梓园门口回到赵府门口，一位门房递过来一个信封，说是一个黑衣人送来的。

信封里，是一张戏票，十天后，梓园。

6

岑乙算着日子，等着第十天。但是，等到第七天，扬州城沸腾了。三位阁老，包括赵府里的仆役、门房都在兴奋地传言：听说吴可闻又要在梓园登台了，已被五家富商包场，谁也别想再弄到一张票。

岑乙拿出那个信封，取出戏票，手在颤抖。

拿到了戏票，岑乙就猜测，黑衣人可能要在戏院里向自己交代一点什么了。现在知道是吴可闻的演出，他更佩服黑衣人了。这个人，几乎无所不能。

开演那天，岑乙又一次重新感知了扬州。他已经熟悉的梓园门口广场，今天挤得密不透风。

能进场看戏的人，在拥挤的人群中最多只占一成，九成是来赶热闹的。

九成中，有一半是吴可闻的"死迷"，坚信只要长久守候，总能窥得吴可闻落轿下马时的一个背影，哪怕是一角衣带。但是，他们谁也没有见到过吴可闻的落轿下马，更不知道会从哪个门进入。

尽管如此，他们还是不放过今夜，相信以前那么多次，都是自己疏忽了，走眼了。怎么可能不落轿下马，不择路进门呢？难道从天上飞下来的？他们，全挤在梓园门口，成了一道厚厚的人体壁障。

至于还有一半纯粹来赶热闹的人，并不存在一窥吴可闻的奢想，他们倒是来观看"死迷"的，因此特别放松，边笑边闹，摇摆自如。

由于广场上人如蚁集，各种吃食摊贩也跟随而来。

扬州的吃食摊贩与别地不同，一点儿也不会因为摊小而简陋，反而会因为摊贩与摊贩之间的近距离对比而刺激竞争欲望。因此，今天梓园广场从下午开始就摆开了惊人的阵势。当时就有一本书详细记载了扬州梓园广场这种"当街食肆"的菜品名目，有糊炒田鸡、酒醋蹄、红白油鸡鸭、炸虾、板鸭、五香野鸭、鸡鸭杂、火腿片、鲜蛏、螺蛳、熏鱼……

因此，赶热闹的人，大多也是逛食肆的人。汽灯明亮，烛炬闪烁，蒸气腾腾，香味阵阵。摊位前的椅子凳子根本不够坐，很多人都蹲着、站着在用食。梓园门口的“死迷”们是看不起这批食客的。他们心无旁骛，一直等到场内锣鼓响起，吴可闻已经登场，才悻悻地离开门口，来到食肆前。他们最受食肆主人的欢迎，因为他们吃得很多，坐得很久，直等到演出散场，才匆忙付银，再赶到戏院门口，去追寻吴可闻的背影。

岑乙举着戏票进场时，堵在门口的“死迷”们都让出一条小路，眼巴巴地看着能够进场的幸运儿。梓园很牛气，没有为达官贵人安排特殊的进出口，因此再厉害的人也要从“死迷”们的鼻子跟前一步步挤进去。这就为大家增加了一条围观的理由:“这是戴状元的父亲吧？”“那是汪府二少爷！”“老巡抚的孙女果然美若天仙！”……

岑乙的座位，在二楼檐廊的茶座边，与舞台有较大的距离。这当然是黑衣人的刻意安排，如果坐在楼下的中心部位，太令人注目。

岑乙刚坐下，黑衣人不知从哪里冒出来的，也擦肩坐下了。

茶桌上有一套茶具，戏院仆役过来筛茶。岑乙正想与黑衣人说点什么，黑衣人先开口了，但他说的话岑乙听不懂。黑衣人用手指了指舞台，又把刚才说的重复了一遍：“蒋士铨的《空谷香》。”

原来，他是在说今天晚上吴可闻要演唱的曲目。蒋士铨是当时著名的剧作家。

他刚说完，锣鼓响了。很快，其他乐器也跟了上来。岑乙想等黑衣人再说点什么，但黑衣人又用手指了指舞台，意思很明白：用心看戏。

岑乙把目光投向舞台，顺便也扫到了观众席。现在确实不能再说一句话，整个戏院像是被冻住了，每个人都屏息绝尘，只留下一个等待。正是在这样的时刻，吴可闻出场了。

没有掌声，没有惊叹，更没有欢呼。吴可闻的声音和动作，像一道清光在深幽的天穹中滑动，时疾时徐，时顿时舒，周边既无月影，也无流星，更无夜云。这是一种近乎空寂中的皈顺和融化，似乎不存在戏院，不存在观众。

岑乙几乎痴呆了，但在迷迷糊糊中领悟了一个道理：耗尽世间赞美词汇的，一定不是最美；真正最美的，用不出一个词汇。

终于，到了幕间休憩时间，戏院突然解冻。这时岑乙才慢慢醒来，听到耳边有极轻的抽泣声音，但也就是两下。这是谁在抽泣？只能是黑衣人，但黑衣人怎么会抽泣？他被剧情感动，还是联想到了别的伤心事？

岑乙不好意思侧头细看，因为一个男人直视另一个男人的泪水总有点尴尬。就在这时，一个低沉的声音在耳边响起，但声音中还粘连着一点点哭泣过的余音。

“在海叶阁的家谱收藏中，找出王直家的。不是太监汪直，是歙县海盗王直，他有时也叫汪直。估计后来他一定化了名，查疑似，追后代。”

岑乙想问两句，那声音又响起了：“赵府本身的财源也要打听。无官、无地、无产，却财富源源不绝。是不是有特殊来路？”

说完，岑乙就听到了有人起身离去的声音。忙转身，果然，黑衣人已经不见了。

王直的家谱？赵府的财源？——这是干什么？岑乙想。黑衣人，你为什么不多说几句？

正在这时，戏又开场了。岑乙再次痴迷，完全忘了黑衣人。

戏散场后，岑乙走出戏院，大门口仍然人头济济，大家还在等待吴可闻的离开。岑乙也好奇地站在门口等。

当然，到很晚，仍然没有等着。戏院里边，早已人迹全无。

这个像神仙一般的吴可闻，究竟是怎么走的呢？

7

从第二天开始，岑乙就着手翻阅海叶阁所藏的大量家谱。

翻阅了十天，没有王直家的。

又花了二十天查找可能化了名的疑似家谱，仍然毫无结果。

一个月就这么过去了。

至于打听赵府财源，岑乙想来想去，觉得只能就近找三位阁老多多闲聊，从他们的话头话尾里寻找蛛丝马迹。岑乙知道这事急不得，便天天贴心地侍应着三位老人。

三位老人开始对他的贴心侍应有点不习惯，但时间一长看他没有特别企图，也就高兴了。渐渐，已经把他当作了最可依赖的晚辈，像是家里人一样。

三位老人之间，本来也有一点嫌隙，经岑乙前前后后转悠着，柔声细气协调着，所有的阴影都荡然无存。

于是，彼此已经可以无话不谈。

岑乙猜想，黑衣人把王直家谱和赵府财源连在一起，或许有特别原因，或许只是巧合。自己，只能打听赵府的财源。话题，不妨从几个珍罕版本的市场价格说起。

搜购珍罕版本，是衡量一家藏书楼资金厚薄的最后尺码。赵府对于三位阁老提出的搜购计划，从来给予满足。有几次，书商开出的是天价，阁老们惴惴地向赵弼臣说起，赵弼臣一听略显慌张。阁老们立即改口，说不必强求，但赵弼臣总是说容他考虑两天。两天后，回答一定是同意购买，而且立即支付银两。那个时候的赵弼臣，从表情到语气都与前两天不大一样。就像传说中的富豪，在夜深人静之时去求告过那棵摇钱树，那个聚宝盆。

如果府里本来就有巨大潜藏，那他两天前为什么会略显慌张？这是阁老们一直不可理解的。三位老人都相信，赵弼臣一定有一个求告对象，就像摇钱树和聚宝盆那样的一个人。但是，老人们都注意到了，那两天，赵弼臣好像都没有出门。在赵府，主人出门是一件大事，上上下下无人不知。

似乎，也没有外人来访。外人来访，在赵府也会有不小的动静。

岑乙每次听到这些，总感到额头冒汗，背脊发冷。

岑乙一再向三位阁老打听赵府主人的身家背景。早就听阁老们说，赵弼臣的父母亲二十几年前就去世了，那他还有叔伯弟兄吗？

“只有一个远房表叔，住在江西临川，是一介寒士。”一位阁老说。

赵弼臣自己的子女，也颇为荒凉。有一个儿子，是弱智，专门雇了两位医生在看护，住在城东一所别墅里。还有一个女儿在苏州，偶尔来扬州。

一天晚饭后，岑乙对三位阁老说：“我们四人，现在都供职赵府，对府上的神奇之事不能不有所猜度。我年轻，好奇心重，却不愿背离着三老，胡乱独思。我们能否约略探讨一下，赵府的丰沛财源，可能来自何处？我不是一个理财之人，但愚人总有愚问，只想知道一个最简单的答案。”

三位阁老摇头。他们多次想过这个问题，都没有找到答案，哪怕是最简单的。

邹阁老说：“扬州这城，财富主要来自经商。经商之财，无可限量。赵府无人经商，财富来路无非有三，一为御赐，二为祖传，三为厚赠。御赐并无记录，祖传若从翰林算来已有五代，所剩能有几何？因此，唯一可能，来自厚赠。但何人所赠？为何而赠？何厚至此？何久至此？不得而知。”

其他两位阁老，都随之点头微笑。

岑乙笑问：“三位才高八斗，有没有对赵府财源产生过一些最放达、最自由的遐想？”

邹阁老说：“那就是饭后传奇了，以前随口闲聊，说过一些。你们不妨说给岑乙老弟解解闷！”他示意两位阁老。

8

“好，我先乱说几句。”一位阁老立即开口，“只是一些无稽臆想。”

这位阁老喝了一口茶，挑了一下眉毛，笑着说起几种可能——

譬如，当年赵府祖先还在翰林院任职的时候，曾力排众议，为一宗几乎已经定案的“科场案”提出了有力的反证，结果把好几个考官的家庭从死亡间救出。这些家庭当时就立下铁誓，要世世代代侍奉赵家。被救的家庭不少，多数都比较发达，结果可想而知；

又如，赵府在宋代是皇室，宅基从未迁移。南宋灭亡前君王四处逃难时曾把库帑秘密分藏，赵府得了其中一部分，一直深藏在地窖，至今取之不尽；

又如，本朝先帝开放海禁，使明代禁绝的海外贸易秘图起死回生。赵府先人曾在闽浙为官，后人不仅找得其中一份秘图，而且把其中一部分重新激活。因此，便有商团按股份如期支应；

……

听起来，每一种可能都很顺耳。但岑乙估计，那个黑衣人所想的，是另外一些可能，似乎与王直遗存有关。

自那次谈话之后，岑乙常常失眠，猜想着各种可能。他很想不猜，但一想到父母亲的青石坟墓，又不能不猜。白天，他会围着赵府宅院一次次绕圈，每一步都是疑问。赵府宅院不小，有很多岔路，很多边门。

所有的墙，都青苔斑驳，古藤纵横。从南宋留到今天，实在是太苍老了。

太苍老，却还在。岑乙突然有点感动，这宅院五百多年，那么多战乱，不仅没有坍塌，居然还书翰山积、文气充栋，真不容易。他抬头看到围墙外的其他屋顶，想这扬州实在神奇。远的不说，就算唐代诗人把“腰缠十万贯，骑鹤上扬州”当作最高贵的梦想，那就一千多年了。这么多年，扬州还是扬州，赵府还是赵府，高贵还是高贵，其间坚韧劲头，从何而来？

这个问题，比那天与三位阁老讨论的问题更大了。当然无解，但想着开心。

9

一天早晨，岑乙刚跨进海叶阁的门，就看到邹阁老站在走廊口等着他。这是少有的事，岑乙立即把老人拉到一把椅子上，请他开口。

邹阁老今天特别和气，笑容间还带着一点不好意思。他告诉岑乙，扬州城里一位盐商去世了，急需一篇祭文。邹阁老是本城第一祭文写手，因此成了那家的恳求目标。那家请了一位中年说客前来牵线，但邹阁老考虑这位盐商年轻时曾贩过私盐，中年时又喜欢出入风月场所，名声欠佳，倘若由自己动笔写祭文，有碍一世清名。如果转请海叶阁的那两位阁老写，他们也一定会有同样的顾虑。无奈盐商家人多势广，不便得罪，邹阁老只得佯称“身疾笔疲”，请说客“另请高明”。

说客点了点头，说：“这事就不麻烦诸位老人家了，我们听说海叶阁来了一位年轻才俊，能不能请他动笔？”

邹阁老答应问问看。由于事情很急，他就站在走廊口等岑乙。

邹阁老把这件事情的麻烦全都告诉了岑乙，然后对岑乙说：“祭文并不印书刻碑，只在殡仪上一读而已。老弟尚年轻无名，写一下也无人记得，而且笔润相当丰厚，可否接下？”

听邹阁老说得那么诚恳，岑乙也就认真了。他问邹阁老：“那盐商除了贩过私盐、涉足风月，还有别的什么毛病和劣迹？”

“毛病一定不少，劣迹倒是没有。”邹阁老说，“人很豪爽，堪称乐善好施。”

岑乙一笑，随即说了一段话：“我虽年轻，却听说扬州盐商很少与私盐无涉，明暗而已。至于风月，如非官吏，一笑可也。死者为大，都是艰难人生，我来写吧。”

邹阁老频频点头，满脸笑容。没想到，岑乙又说了一段让他吃惊的话：“笔润就不要了。我在您这里薪酬不薄，如因笔润而靠近了盐商的圈子，成了他们的文侍，就不好。我写，只因为您。”

邹阁老一听，从椅子上站起身来，直视着岑乙。岑乙随即也站了起来，两人的手握在一起了。

邹阁老说："没想到你年纪轻轻，见识如此高超，佩服！"

岑乙则笑问："那盐商的家人是怎么找到您老人家的？"

邹阁老说："是一个我以前不认识的人来牵线的。那人身穿黑衣，谈吐不俗。他怎么知道这里进了一位青年才俊呢，真是奇怪。"

"他说了自己的姓名吗？"岑乙问。

"直到他走后我才想起，忘了问了。这就叫老。"邹阁老笑着说。

10

五天以后，赵府门房又递给岑乙一封信。拆开一看，还是戏票。吴可闻又要登场了。

这次岑乙算是老观众了，熟练地穿过人潮，找到二楼的座位。和上次一样，开幕前，黑衣人在旁边坐下。岑乙没有转过头去，他觉得直视那人是不合适的。因此只是微微点头，似笑非笑地牵了一下嘴角，眼睛还是看着舞台。

也像上次那样，在吴可闻演唱时，全场宁静得如同回到了太古。像上次那样，岑乙听到耳边有极轻的抽泣声，只有两下。直到幕间休憩，人声渐起时，黑衣人才在耳边说话。

黑衣人说:“为盐商写祭文的事，让我知道了你的为人，拿捏得很有分寸。那就可以坦示整个事情的来龙去脉了。现在天下不宁，天地会、蔡牵都在起事，而朝廷却库帑紧缺，和珅大人亲自下令寻找明代海盗王直的巨额遗存。王直的家谱既不可得，那就不走这条路了。好在已锁定南方几个极富而又不明财源的门庭，作为嫌疑对象。扬州赵府便是其中之一，你的使命，是查访赵府与王直的关系，以及可能的藏财之地。”

话音刚落，没等岑乙接口，黑衣人就起身消失了。

岑乙闭眼想了一下，心里也就踏实了。原先也疑惑过，为什么要把“王直家谱”和“赵府财源”扯在一起，现在恍然大悟。原来这是堂堂正正的朝廷大事，并不是鬼鬼祟祟的黑暗行径。前朝海盗留下的财产,如果能够用来辅佐今日的国泰民安，这该多好。

但他又皱眉了。阁老们臆想过的那几种赵府财源，虽无实据，都还算平顺。现在突然冒出来一个海盗，这就太让人惊惧了。咳，既然是朝廷的判断，也许有一点道理吧。

这样的查访，并无确定的目标和时间，因此也不是凶险之任。岑乙想，今后可以多向阁老们请教一点相关的史迹，看怎么查下去。

幕间休憩结束，吴可闻又在演唱了。

岑乙边听边想，何谓大城？在于潜藏。蓦然消失，无踪无影；陡然崛起，无脉无根。

且不说王直和赵府了，就说台上这位吴可闻吧，这么大的一代名角，究竟是怎么进戏院，又怎么出戏院的，如此区区小事，人们竟然也完全不清楚。

只有不清楚，才有玄趣。如果什么都很清楚，人人成了水缸里的透明游鱼，那便无趣。

还是像上次那样，戏散场后，岑乙站在戏院门外很久很久。直到戏院关门，还是没有发现吴可闻是怎么出去的。

岑乙随口哼出几句：

无问何来，
无问何去。
千年深夜，
月下秘途。

第二章

1

海叶阁里，很空闲。

原因是，书虽多，不外借。外面别的事，也不参与。

三位阁老读了一辈子书，早就厌了，再加上眼睛老花，更愿意释卷聊天。岑乙带来了年轻人的见识，他们感到新鲜，因此最愿意拉他。

“多读伤神！来，坐下，喝水。”他们在招呼他。

岑乙刚进海叶阁时要熟悉庞大的藏书格局，要补读很多没见过的书籍，舍不得在闲聊上浪费时间。但一年下来，该熟悉的也熟悉了，该补读的也浏览了，又有不少问题要请教，因此也愿意与老人聊天。但他不喜欢坐着，总是拉着老人在院子里边走边聊。

他说：“那么多树，那么多花，每天都不一样，我们不去，这院子就太寂寞了。何况，散步能让长者强健筋骨。”

三位阁老认为他说得有理，就乐呵呵地跟着他，天天绕着院子散起步来。几个人的脚步，让院子的每个角落都有了精神。

那天，走到东墙一道长久未开的边门那里，一股无可抗拒的烹调香味扑鼻而来。

岑乙与三位阁老都停步了。岑乙用手在鼻子前挥了挥，说：“太香了，应该是葱油吧，小时候家里常有，却从来没有这么香过。”

一位阁老说：“是葱油，却非同小可。平常的葱，平常的油，用平常的锅一熬，却出了奇迹。诀窍是，在热油中切下细葱，稍稍一熬就转小火，小得几乎没有。然后，花很长的时间慢慢等。”

另一位阁老抢着说：“一定不能熬焦，连棕黑色都过头了，只能是深褐色。你知道要熬多久？一个时辰。”

那位被打断的阁老又连忙把话接上：“在这个时辰里，满街满巷的气味都归它了，家家户户都在吞咽口水。”

邹阁老笑着总结道：“这就是中国饮食大义：至简至素，而成至香至味。迷倒了远近，却还只是一束葱、一勺油、一粒火。没有任何荤腥，没有任何加添。”

“花一个时辰熬葱油，做什么菜？”岑乙问。

邹阁老说：“不做菜，做主食，那就是葱油拌面。把那熬成的葱油放在一边冷却，就着手煮面条。选碱性稍重一点的，煮沸两遍，也放在漏篓里冷却。等两方面冷得差不多了，便拌在一起。”

岑乙问：“难道不是趁热把葱油倒下去？”

邹阁老说：“那就成了浇面和炒面了，太热络，低了一个等级。不像葱油拌面，在两相冷静中合成极清极香。这也符合人间交友大义。”

岑乙听得入神，问：“这么一碗葱油拌面，你们这几个大儒，为什么如此精通？”

一位阁老说：“精通，是因为着迷。”

“你们都会亲手操作？”岑乙觉得非常奇怪。

“遇到了一位老师，是个女孩。现在这香气，肯定还是她在动手。她曾经在赵弼臣先生的厨房里为我们做了示范。”一位阁老说。

岑乙又伸着脖子嗅了嗅，问：“她在动手？那是在边门外面啊，她怎么会在那里？”

“那是赵宅的别院，是主人女儿回扬州时的住所。那个做葱油拌面的女孩，是主人女儿的助手。”那位阁老说。

邹阁老说：“主人的女儿叫赵南，那个女孩叫小丝。我们只见过小丝熬葱油，却从来没见过赵南。”

“赵南，小丝，别院，葱油拌面。”岑乙归总了一下，又摇摇头。他觉得兴味无穷，又不可理解。

三天后，他们又散步到这里，没有闻到葱油香味，便谈起了别院。

邹阁老说：“这别院是赵宅最神秘的所在。据说是南宋末年那个奸相贾似道兵败后的避难处，大家觉得晦气，谁也不想进去。赵弼臣的女儿赵南出生在苏州外婆家，长大后也在苏州读女塾，母亲亡故后经常到扬州看望父亲，但不愿意住赵府正宅，便装修了那个别院。装修成什么样，没有见过。但我们见到了小丝，吃了葱油拌面，还向她请教了做法。一碗面都那么精彩，就可以推测别院里一定很精彩。”

“赵弼臣先生自己进去吗？”岑乙问。

“父亲当然要进去。他们父女感情很好。”邹阁老说。

“有没有可能与赵先生商量一下，什么时候带我们到别院看一眼？”岑乙问。

“绝无可能。赵南闭门杜客，更不许自己不在时有人擅入。别院里用的丫鬟、小厮，也是从苏州带过来的，都很警觉。”邹阁老说。

“赵南几岁了？”岑乙问。

“无可奉告。”邹阁老笑着说。

第二天散步时，又闻到那股葱油香了。为这香气，几个人在东墙边站了好一会儿，不再说话。

2

黑衣人这次与岑乙会面，情况全然不同。

还是在戏院二楼檐廊的茶座边，还是看吴可闻的演出，还是在岑乙落座后立即在耳边响起的声音。但是，声调不再低沉，而是变得爽朗，尽管还是说得很轻。

为这爽朗，岑乙转过头去看了一眼。

岑乙记得，在泰州初次见面时，黑衣人的眉眼是正常的，但到扬州之后却变得玄奥莫测了。几次在剧场里见面，都不敢细看。但今天，好像可以看了。果然，那人的眼睛也闪烁着笑意，等待着岑乙的目光。

黑衣人以前总是在头顶遮着一个黑色的“半头套”，故意侧头躲在阴暗处，看不清楚。今天他把那个“半头套”翻下在脑后了，又大方地迎着茶座上的烛光。岑乙一看，还是泰州见到的那张脸，鼻子很挺，但额头有点黯，目光中透露出机灵和干练。

岑乙笑着点了点头，算是“熟人重见”的招呼。

黑衣人说：“赵府的财源已经查清，不用再查。”

岑乙说：“照理我不该细问，但我已经带着这个疑问深入赵府这么久，还逗引几位阁老猜测过各种原因，因此请原谅，能否约略告诉我，一解心头之惑？”

黑衣人说：“现在告诉你，已无大碍。赵家自老翰林去世后，几代都在福建与人合伙贩茶，没有做大，却足以维持家道。到赵弼臣，与苏州巨富结亲，赵家商事业如日中天。他岳父在十年前撒手尘寰，赵家失去了靠山，但商事却更加兴旺，不知招得了何等英才。但是，这已经不是我们追查的范围。既然赵府自有商业上的财源，那就与王直的家谱和遗存没有什么关系了。”

岑乙一听十分吃惊，问：“你们怎么会对赵家的财源调查得如此周详？”

黑衣人说：“由于久探无果，军机处便向地方官府查询。他们那里，人员众多，查起来比我们方便。你的事，也就此了结。你若想继续留在赵府，也可以，若想再与我们一起办事，那就是查找扬州的老地库。”

“老地库？”岑乙问。

“这事倒不保密。在南京遇见一位退休的原工部侍郎，说他过去在工部旧档里看到，扬州城由于富贵千年，挖有不少老地库、老地道。若有隔代宝藏，如果数字很大，一定与地下有关。我们已请他什么时候返回京城，再到工部文档室仔细查阅。如果找到了相关记载和图表，我们再按图索骥。”

岑乙连忙说：“不，不，我是书呆子，不善于参与这种事，这你也看出来了。我还是留在赵府管理图书吧，因此还得感谢你为我谋取了一份满意的差事。”

黑衣人一笑，说：“我确实已经看出来了。那就留在赵府吧，我们也算是有缘相识。我姓何，宿州人，今后如果有事，还会按照原来的办法找你。”

岑乙说：“在泰州初见时你已经报了姓，却不知是哪个字。怎么，你与和珅大人同姓？”

“不。和大人的和有多好，禾苗就挨着口，张口就有吃。我这个何，整个是一个疑问，为何？为何？……而且，我是单名，一个求字，疑问更大了：何求？何求？”

岑乙笑了。此刻他觉得这位叫何求的黑衣人有点可爱，以前只觉得有点可怕。于是便问，上次你已经告诉我是苏州人，怎么一点苏州口音也没有？”

何求一愣，笑着说：“仍然是口音和耳朵出现了误差。我家乡是宿州，不是苏州。听到过宿州吗？鼎鼎有名的灵璧石，就是我们那里出的。”

这么一说，气氛变得轻松。岑乙决定，要问一个搁在心中的问题了。

岑乙不好意思地说：“有一件小事，不知该问不该问。我们两次一起看戏，我都发现你感极而泣。这是为什么？那情节，不至于……”

“不说这个，不说这个。”何求用手拍了拍岑乙的手臂。

岑乙觉得，此人对我非常了解，而我对他却一无所知。既然话题已经拉开，不妨再追问几句。便说："莫非有几段唱词拨动了心弦？"

何求侧身看了岑乙一会儿，终于说："我只是联想到了家事。"

岑乙问："家事？"

何求说："我家里已经没有别人。本来还有一个，但是……哦，不说这个，不说这个。"

幕间休憩已经结束，吴可闻又要出场了。

3

半个月之后的一天上午，海叶阁突然热闹起来。

这实在是前所未有的事。

很少露面的主人赵弼臣来到海叶阁，吩咐打开最大的客厅嘉乐堂。他身后，跟着几个人。

坐定后，赵弼臣介绍，年长的一位是扬州辅仁书院的孙掌门，两位年轻的，一位是孙掌门的助手，一位是巡抚的外甥。

巡抚的外甥从外公那里听说过海叶阁，这些日子到扬州游览，就顺便来拜访了。

海叶阁在默默无声中居然被远在南京的巡抚大人高看一眼，赵弼臣既惊讶又兴奋。辅仁书院的孙掌门却羞愧了，同在一城，居然没有往来。因此他诚恳地请求赵弼臣，能否让书院的学生定期来参观，甚至借阅藏书。

处于兴奋中的赵弼臣满口答应。他告诉孙掌门，任何时候都欢迎。他还看了三位阁老和岑乙一眼，对几位客人说:“藏书为了什么？就是为了被人阅读，被人传诵。辅仁书院如果能充分利用海叶阁，是赵家之幸。”

三位阁老和岑乙一听都点头，但是也就轻轻地点了一下子，表情平静而严肃。他们还没有完全赞成主人赵弼臣的“大方”，总觉得辅仁书院在扬州士人间评价平平，这里还需要拦几道门槛。

倒是辅仁书院的孙掌门反应极快，说:“既然赵先生如此慷慨，我们书院也就立即响应。下午，我们就安排八十名学生来参观、阅览。”

赵弼臣连说，好啊，好啊。

辅仁书院学生的到来，并没有像三位阁老预想的那样混乱。那些年轻人很有礼貌。看到密集的藏书，只是捂嘴惊叹，没有动手去开函翻阅。步子放得很轻，并无高声谈论，也没有向阁老和岑乙提问。

这次，学生们是由孙掌门的那位助手带来的。学生们粗粗走了一遍，回到门厅，那位助手便向阁老和岑乙躬身，说:“初次打扰，不便拖延，今天的参观就结束了，学生们一定体会很久，得益很多。下次少不了再来麻烦。”

从此，辅仁书院的学生就来得很频繁了。他们既翻书，也在院子里散步。岑乙一直等着他们来询问与书籍有关的事情，却一直没有等到。主动与他们谈话，他们也有点躲避。

原来岑乙以为，是他们的掌门规定了纪律，让他们在海叶阁不要多开口，以免产生骚扰。但后来有一次，三位阁老道出了事情的真相。

邹阁老年轻时曾在湖南、河南两个书院任教。另外两位阁老，也曾在别的书院讲过课。

邹阁老说："他们不提问，是心中没有问题。他们不讲话，是肚子里没有话。他们不谈书，是实在不太懂书。"

"但他们是辅仁书院的学生啊，"岑乙说，"社会上一听都会高看一眼，怎么会这样？"

邹阁老说："天下学问，多因自学。聚而授之，事倍功半。书院开课，只讲四书五经里的皮毛。其实连皮毛也说不上，只是皮毛上的浮尘。有点研究的教师，如果在课堂上要讲一些研究成果，就有挟私之嫌。即使挟了，学生也听不懂。而事实上，书院里的教师，多数都徒有其名。"

另一位阁老笑着点头，说："现成的例子，辅仁书院的那位孙掌门，名位不低，但我在朋友那里不小心读到他写的两首诗，那实在有点——"

他拖着一个字不说出来。

"有点弱？"岑乙问。

摇头。

"有点僵？"岑乙又问。

又摇头。然后一笑，说："有点惨。"

"惨，还做掌门？"岑乙问。

“这就叫，饕餮掌门，百兽不近。哈，这样说就太刻薄了，写不好诗，不等于没有学问。”那位阁老说。

邹阁老接口道:“对，我们还是厚道一点。不管怎么说，浊世滔滔，利欲熏天，有人办学教书，毕竟是好事。”

这说得有理，大家都笑着点头。

以后辅仁书院的学生进来，大家也就不以为意了。学生们东看西看，阁老和岑乙也埋头做自己的事，彼此很自在。

终于有一天，岑乙把心底的一个疑问说了出来。自从他被黑衣人何求“训练”了一阵,他有了与别的文人不一样的头脑。

他问邹阁老:“辅仁书院的资金来自何方？是官方划拨，还是收取学费？收取学费肯定不够，因为书院的学生多数是贫寒子弟，有钱人家都会在家里专聘教席。我似乎听说，经费并非官拨，这是怎么回事？”

邹阁老只说了两个字 :“隐捐。”

“什么？”岑乙没听明白。

邹阁老说:“隐捐，也就是无头捐献。捐献者隐姓埋名，把一笔资金打入钱庄，指定捐献的方向。一般隐指最多是两个方向，一是寺庙，二是书院。”

“钱庄知道捐献者吗？”岑乙问。

“照理钱庄会知道，但有行规，必须保密。”邹阁老说。

“捐献者为什么隐姓埋名？”岑乙问。

“一般的说法，大善喜隐。但我看了大半辈子，有部分隐名捐献往往是为了赎罪。”邹阁老说。

4

秋天是海叶阁最美的季节，特别是深秋。美之极致，是满院的银杏。

据说，这些银杏是宋代就种下的，几百年了。但在银杏家族里，这还算年轻的。扬州城有好几棵唐代银杏，那就一千多岁了。

焦黄的薄嫩，被阳光照透，又连成一片，让人觉得高贵的连绵，苍老的新鲜。这，正合那千年的秘哲。但这秘哲敞亮而又灿烂，一点儿也不艰涩。

唐代银杏虽有尊长之位，但太少了，寥寥几棵，与年岁拼搏着，撑着皱纹笑在秋风中，有点凄凉。因此，去看的人并不多。若要领略银杏真正的盛典，必数海叶阁。平日只觉得是茂密的院中树林，到了那些天，居然喷涌出漫天金黄。银杏又高又密，因此这种金黄有一种让人无法逃遁的压迫感，压迫得魂魄俱融。

整年安静的海叶阁，会在银杏盛开的那些日子，向扬州市民开放。

赵弼臣还特地邀请各界朋友前来观赏，院落里熙熙攘攘，笑语连连。不请自来的市民更多，赵弼臣支派全府仆役都来接待。

其实他也不反对在这些日子开放藏书楼，让各色人等见识见识。但三位阁老竭力反对，理由很多。最后达成协议，锁住藏书楼的书库，但要开放藏书楼最大的客厅嘉乐堂。嘉乐堂里悬挂着不少名人书画，可让市民参观。

辅仁书院的学生也来凑热闹，既看树，又看人。这些日子在这个宅院里，他们已经像半个主人，热情地向市民们引路介绍。

让他们眼睛一亮的是，扬州城里很多昆曲班子的演员也来了，其中有不少是年轻女子。

这些女子与街坊间的女子不一样，漂亮，大方，谈吐不俗。演员要经常面对各种观众，没有不大方的；而她们所演的昆曲又文辞讲究，使她们的话语也斯文雅致。

昆曲女演员们见到辅仁书院的学生，都会略略躬身致意，然后目光一闪，快速地打量一下，转身与女伴一起轻笑。对此，学生们有点猝不及防，立即就腼腆了。

在客厅嘉乐堂，两个女演员看着锁住的书库，大方地询问坐在那里喝茶的学生："请问，这里边也该有汤显祖和洪昇的作品吧？"

那两个学生还没有学到过汤显祖和洪昇，皱着眉头想了想，说："不清楚。他们是学者还是诗人？"

两个女演员笑着说："是学者，也是诗人。"互相看了一眼，又转身看书库的门，说："里边一定有。"

这时，从客厅的角落传来一个苍老润厚的声音："当然有。《牡丹亭》和《长生殿》，我们藏了不止一个版本。"这是邹阁老。

两个女演员一听到老人的声音，连忙快步迎过去，走到邹阁老跟前，深深鞠了一躬。其中一个女演员说:“尊长，我们演过那两个本子，但都是手抄的，很凌乱。这里收藏的本子，什么时候能借我们一读吗？”

邹阁老说:“欢迎来阅读。我们还藏有汤显祖、洪昇的诗文集，你们也可以参考。昆曲作品，海叶阁藏得很全。”

这一下，把两个女演员乐坏了。她们又深深向邹阁老鞠了一躬，正准备转身离开，听到身边传来另一位老者响亮的声音：“邹阁老，今天你们这里真热闹！”

邹阁老抬眼一看，便站起身来:“哦，是孙掌门。你们辅仁书院的学生来了那么多，为我们添了不少人气！”

孙掌门对于美貌的女孩子似乎很敏感，虽然大声地与邹阁老打招呼，两眼却盯着那两位女演员。

“你们也来拜访邹阁老？”他问。

“不是拜访，是请教。”一位女演员说。她还笑着反问了一句:“听起来，您是辅仁书院的孙掌门？我们是昆曲班的，刚才还在商量，能不能到你们书院上学，再到这里读书呢！”

“欢迎，欢迎呀！”孙掌门两眼炯炯，满口答应。

邹阁老说:“昆曲大有学问。昆曲班的学员如果能到辅仁书院上学，是一件好事。”

“您老一言九鼎！”孙掌门转身对两位女演员说，“我会派一名助手到你们那里，看有几位报名。”

“学费贵吗？”一位女演员问。

“不考虑这些琐事。”孙掌门说，“如有杰出才艺，一切麻烦都免了。”

5

昆曲班女演员要上辅仁书院的事，出乎意料，遭到了书院学生的强烈反对。

这让孙掌门惊讶了。

他想，我为你们找来这么一批貌如天仙的同学，今后书院的日子会过得多么美妙，你们凭什么反对呢？

然而，学生们的口气越来越尖刻。

他们在书院走廊里贴出一张张不小的纸条：

“堂堂理义，岂可混杂艳歌浪舞！”

“士子受教，不与女子小人同席！”

“坚拒俗音市声，严斥丽容色相！”

“一唱何能入儒，百姿不成其学！”

“丝竹误国，昆腔伤魂！”

“学子九叩，掌门三思！”

“书院清净地，莫可乱心旌！”

……

其实孙掌门只要细细一想，应该能够明白学生反对的真实原因。

学生们都在垂涎女演员。但这种垂涎，只是偷视，只是暗想。一旦真让目标出现在眼前，必定处处自卑，手足无措。这自卑，不仅是对比女演员，而且也对比男同学中的竞争者。结果，越垂涎越自卑，越自卑越反对。中国历史上很多文人反对女子、女乐，多是出于这种悖逆心理。请看辅仁书院，除了那么多学生反对，教师们也火上加油。那些纸条上的字句，一看就知道高于学生的文字功力，肯定是经过教师修改的。可见师生一心，不分辈分。

自古以来，学生和教师中的“激进反对派”，看似道貌岸然，其实大半是出于垂涎和自卑。垂涎和自卑的具体内容，各个时代并不相同，但心理秘密却是一样。

很多扬州市民，都到辅仁书院来看走廊上贴着的纸条，一时成为全城话题。奇怪的是，连很多戏迷，也都站在学生一边。原来，戏迷之迷，是一种消费。他们也不希望被自己消费的艺人，各方面都比自己优秀。

招收女演员的事，当然没有成功。

这事的好处，是让那些天真的女演员看清了自己生存的真相，看清了自己台下观众的真相。这时，如果舆论转向，全社会恭请她们去上学，她们也不想去了。

那两个想阅览汤显祖、洪昇剧本的女演员，还是到海叶阁来了。经历了上学风波，她们的表情变得很成熟。而且，因成熟而典雅。

三位阁老和岑乙对她们特别热情，借以表明，真正的文人并不拒绝她们。

岑乙带着她们找到了汤显祖、洪昇的剧本，请她们在临窗的一张书桌前阅读。她们读了一会儿，手指就轻轻地打起了节拍。岑乙知道，她们一定是读到了自己演唱过的唱段。有时，她们还会很轻地哼出几句，却又连忙扭头看看四周，有没有影响别人。

过了一个时辰，她们起身还书，岑乙便轻声询问她们："你们在梓园戏院，应该见过吴可闻本人吧？"

两位女演员一笑，说："吴可闻只演独场。化妆室、上场道也都单独使用，有人守护着。只要吴可闻一开唱，我们就在台下一侧站立着，恭恭敬敬观摩。"

"你们会不会觉得，吴可闻这样躲躲闪闪，有点作态？"岑乙问。

"不，这是我们心中的神！"两位女演员异口同声。

两位女演员走后，岑乙想，那位黑衣人何求不来，自己再看吴可闻的机会就大大减少了，真可惜。

6

那两位女演员来海叶阁看书时，已接近这一年的年底。银杏已经落尽，院子在寒风中有点凄凉。

阴云凛冽，有点要下雪的样子。但是等了好几天，下下来的只是一些雪子，并不积地。湿漉漉的城市，变得比大雪纷飞还要寒冷。

又要过年了，这是嘉庆四年的春节。

春节照理应该到梓园看戏,但是黑衣人何求还是没有出现。

正月刚过几天，初四的中午，传来一个惊天噩耗：乾隆皇帝驾崩。

扬州和全国各地一样，在发抖。大家都知道他年事已高，差不多九十岁了，而且已有新皇帝嘉庆接位，但还是不适应这位掌权六十多年的老皇帝离去。

官衙、楼宇、牌坊都披挂了“国丧之孝”，处处是抢眼的白幔、白练、白幅，黑幔、黑练、黑幅。酒楼停宴，梓园歇业，一切娱乐场所都闭门谢客。扬州就像是一个最有表情的老年贵妇，对家长的离世显得特别动容。

但是，国丧的气氛延续得很短。几匹快马传来廷报，朝中最有权势的和珅，在乾隆去世第二天就被查处，半个月后即令其自杀。

如此干脆利落，让全国上下兴奋不已。

处决和珅，不太容易。天下人人皆知，他最受乾隆皇帝信任，任职二十余年，通揽全国军政、财务大权。而且，和珅的儿子娶了乾隆的女儿；和珅的女儿嫁给了康熙的重孙；和珅的侄女又嫁给了乾隆的孙子。这层层叠叠的关系，竟被新皇帝嘉庆一刀斩断，而嘉庆又丝毫没有流露出对乾隆的不敬，这实在是自古以来都没有见到过的霹雳手段。凭这手段，朝野对嘉庆皇帝钦佩不已。这年嘉庆皇帝三十九岁，正是年富力强之时。

更让人钦佩的是，嘉庆皇帝剪除和珅，没有过多地纠缠在民众很难判断的权力斗争上，而是非常通俗地展示和珅的贪污数额之大。这事并没有夸张，却让嘉庆皇帝立即具有了无限正义的光环。尤其聪明的是,这种无限正义中又包含着无限财富，因为和珅的巨额赃财正是自己的新政所必需。

和珅已经死了，不少亲信如福长安、苏凌阿、吴省兰等都一一裁处。接下来，就轮到那几个“军机章京”了。在刑具环绕的厉声逼问中，他们用半个月时间交代完了军机处的种种事项。最后，还提到了一次和珅亲自布置的“幻想式追寻”。

“幻想式追寻？”审问官一听,立即产生了警觉。在他们看来，和珅是天下最实际的人，一切“幻想”都会兑现，哪怕在天涯海角，也会手到擒来。因此，也就不存在“幻想”。

审问官觉得，这里一定又掩盖着一个重大案情。因此，他们再度精神勃发。

“究竟是怎么回事？”他们的声音放低了，却又把脸靠得更近。

当他们知道，和珅的这次追寻，是追寻明代海盗王直留下的巨额财富，立即就笑了起来。

果然，非同小可。

只要是和珅，对巨额财富，不可能半道歇手。

在继续审问中,“军机章京”叙述了追寻的简单过程。怎么找线索，分几项推进，如何锁定几个疑点，最后又为什么集中在扬州赵家，一个叫海叶阁的藏书楼。然而最后，终于排除疑点，未果而返。

审问官很警惕，说:“未果而返？怎么可能？这可是从来不言放弃的和珅！和珅很可能绕过你们，跳开一切中间环节，直接与赵家做了私下交易。这样的例子，在和珅大案中比比皆是！”

“军机章京”虽然早已遍体鳞伤，却还是摇头。他们告诉审问官员，连他们都没有去扬州，是派了几个黑衣密探去的，但黑衣密探也没进赵家。和珅本人，不可能亲自去做私下交易。

审问官一笑：“你们把自己的主子看简单了。我只问，扬州赵府的嫌疑，和珅本人是不是知道？”

“知道。我们直接向他禀报过几次。”

审问官又问：“后来是他下令停止追寻？”

“是。”

“那就对了，”审问官说，“一切都符合他瞒天过海的套路。他叫你们停止，是因为他自己盯上了，而且很有把握。如果没有把握，他必定让你们继续追寻。唉，倘若不是匆促倒台，贪污大单上又会多一笔扬州巨资。好了，狼迹就是路标，扬州赵府，应该并入和珅大案！”

几天后，几匹快马向扬州奔驰。

为了不“打草惊蛇”，没有立即关押赵弼臣、查抄海叶阁。但是，赵府的每个门口，都已派了衙役把守。同时放出传言：这与和珅大案有关。

7

“海叶阁可能与和珅有关？”扬州城一传十，十传百，很多人都来观看。把门的衙役不允许赵家人出门，却不阻止市民在门外围观。

围观了几天，开始有一些纸张贴在赵府的围墙门口。署名都是“辅仁书院士子”，没写明是学生，还是教师，或者是掌门。

那些纸张上写的内容，好像出自“非常内行”之手。写出的毛笔字，更是娴熟、老到。

写了什么呢？请看——

“海叶阁客厅名嘉乐堂，此名实乃和珅本人之堂名，有其《嘉乐堂诗集》为证。巧合若此，岂非无因？”

“和珅字致斋，而海叶阁尊长邹阁老之字亦为智斋。致、智同音，请释其同。”

“和珅深信海叶阁秘藏倭寇王直巨财，故多次派人寻访。何谓海叶？只因王直副将名徐海、麻叶。今且问赵府何辩？”

……

这些句子写出来，要有不少文史背景。至少，要知道和珅的“堂”和“字”，知道王直副手的名，甚至还要知道邹阁老的“字”，那就远远超出了学生的知识范围。细看就可发现，拎着糨糊桶在贴的，是学生；但递给他们一卷卷写好的纸的，是几个年长的教师；在学生和教师背后不断抬手指点，又附耳说话的，是辅仁书院的孙掌门。

这里呈现了很多中国文人的特殊功能，那就是只要听到任何可以整人的风声，便发挥疯狂的想象力，在一些文字细节间生拉硬扯，罗织别人的罪名。明、清两代的“文字狱”，就是这样张罗起来的。一旦形成，很难反驳。因此，任何攻击者也不必承担责任。这就形成了滋生“文化鹰犬”的机制，改变了中国文化的基因。

此刻，很多围观的人看了赵府门口的张贴，不禁叹息、摇头。

突然，一个清亮的女子嗓音在人群间响起:“抱歉，要借一下你的糨糊桶！”大家回头一看，两位美丽的年轻女子正挤进来，挤到了那个拎糨糊桶的学生身边。学生抬头一看，就是前不久在参观海叶阁时询问汤显祖、洪昇作品的那两位昆曲演员。

她们没等学生反应过来，已经夺过了糨糊桶，把手上卷着的一张黄裱纸贴在了很多白纸中间。上面写了三个成语:“咬文嚼字，牵强附会，捕风捉影。”

大家一看，才知道这些熟悉昆曲剧本的女孩子，在文化等级上高于当时一般的市民。刚贴出，就引来围观者的一片叫好声。两位女演员用点头微笑，来回答大家。

一个教师躲在人群中呛声了:“年纪轻轻，一介女子，怎么能说别人是牵强附会？”

那位个子稍高一点的女演员一笑，直视着这位教师，说：“这位先生，看来那些牵强附会的句子是你写的了。”

“我写的，怎么样？你可以反驳啊！”教师又强硬，又得意。

女演员仍然一笑，说：“那就抱歉了。据我所知，叫嘉乐堂的，光在扬州就有七家，难道都与和珅有关？再说，海叶阁的名字，怎么能敲碎了拼接到倭寇的名字里去？我们的昆曲里就有一句唱词，‘天书海叶任风卷’，只是极言藏书之盛。你硬要把那么多书送给倭寇，累不累？”

她这番话，说得口齿伶俐，满脸俏皮，配着灵活的手势。最后说“累不累”的时候，还做了一个扬手反掌的动作，引起围观市民的笑声和掌声。

这一来，门口的气氛变了。有一个大嗓门的中年人就指着辅仁书院贴的那些纸张说：“满纸诬陷，蒙羞扬州！”

立即有人跟着喊：“对，蒙羞扬州！”

这时，响起一个苍老的声音：“诸位，我是辅仁书院的孙掌门，只想奉劝大家一句：朝廷重案，非比昆曲，赵府有涉，不可轻护！”

孙掌门站在一个低矮的石礅上，比围观的市民高出半个头。说完，他就一步跨下了石礅。

市民显然不服，一片议论，高声低声。

这时，从大门的内侧闪出一个穿官服的人，面无表情地轻拍了一下孙掌门的臂膀，说：“请借过一步，到里边说话。”

孙掌门上下打量了一下那位官员的衣衫，就安静地跟着他走进大门内侧。那里，还有另一位官员。

引他进来的官员一转身，问：“你就是辅仁书院的掌门？”

孙掌门点头，说：“是，我姓孙。请问你们——”

“我们是吏部办案的，刚到扬州几天，查赵府的一条线索。你刚才说得好，朝廷重案，非比昆曲，赵府有涉，不可轻护。这话，我们欣赏。因此请你帮一个忙。”

“帮一个忙？”孙掌门问。

“对。由于和珅的案子规模大，牵涉多，人手不够，而扬州的线索又没有实证，因此只来了我们两个人。扬州的官府一时还无法信任，因此想借助辅仁书院。请你选一批学生进海叶阁，细细查看书橱后面有没有地道暗门。院子里的树丛、假山间，也要查。和珅要追寻的点，一定有门道。另外，能不能请你再物色两位可靠的教师，与你一起，帮我们一起问案？我们不熟悉扬州话，也不熟悉藏书楼。”

孙掌门听了，连忙说：“承蒙信任。但这事棘手，我又不是朝廷中人，能不能给我一个正式任命，以便我出力？”

“这好办，”那个官员说，“你马上把名字写给我，明天我们就能发给你一方铜质腰牌。”

“那我就遵命了。请放心，为什么我们书院的名字叫辅仁？生来就是要辅佐仁宗。”仁宗，就是剪除和珅的嘉庆皇帝。

官员笑了：“你脑子真快，难怪做掌门。但对皇上，一个地方书院没有资格说辅佐。”

孙掌门一惊，知道自己说错了，立即纠正：“对，不是辅佐，不是辅佐，是敬拜，是感恩，是拥戴……”

“那要不要把书院的名字改了，改成敬仁书院，或拥仁书院？”官员显然是在开玩笑。

看见孙掌门惶恐的眼神，官员便“呵呵”一笑，说：“不要改了。辅仁之仁不是仁宗之仁，而是孔子之仁。复归原义，就可以了。”

8

辅仁书院的一帮学生，把海叶阁翻了个底朝天。

要寻找书橱、书架底下的“地道暗门”，这对年轻人来说太有兴趣了。搬开层层叠叠的书橱、书架，还要开挖地板和地砖。先挖那些有大缝的地方，后来，对于没有大缝的地方也用铁撬敲打着，边敲打边让另一个学生俯下身子，用耳朵贴地去听。听的结果，总是换来诡秘的表情，说一声“开挖”！

几天下来，情景可想而知。说一片狼藉，还远远不够。

第一天，孙掌门和几位教师都一直站在一边看着。到第二天，他们就有点熬不住，便不看了，转身到那些横七竖八的书橱、书架间，艰难地捡书、翻书。

书这东西非常奇怪，乍看一本本也没有什么架子，但当它们整齐地排列在一起，立即会展示一种逼人的气势，让观者敛气、端步。反之，当它们被轻慢，被打散，被乱堆，便立即转化为世间最可怖的混乱，让人极度沮丧。

孙掌门和几位教师的心里很矛盾。他们对海叶阁遇到麻烦，幸灾乐祸，因为这里出现了他们的很多机会。但是，他们又不希望真在海叶阁的地底下挖到王直的财宝。一挖到，事情就会变得很大，反倒没他们的份了。他们的最大野心，是占有海叶阁，占有那么多书。

第五天下午，孙掌门把学生们集合在一起，说:“好了，挖掘地道暗门的差使，可以有一个交代了，那就是没挖着。从今天开始，你们把这些书橱、书架扶正，检视一下图书。我和几位教师要给你们介绍一些书籍的基本知识。”

此后几天，孙掌门和几位教师，翻出一函函书籍告诉学生，什么是“善本”，什么是“孤本”，什么是“刻本”，什么是“抄本”。孙掌门和教师在介绍的时候，口气中明显地带有猜测，因为他们以前也只是听说，没见过实物。他们很想把一直管理着海叶阁的三位阁老请来，进行正确的讲解。但自从他们进门的一天，三位阁老都不见了。

一位学生对孙掌门说：“掌门大人既然已经有了铜质腰牌，干脆下令把海叶阁的主人赵弼臣捉拿来算了，命他交出那几个阁老！”

孙掌门说:“铜质腰牌只是允许搜寻地道暗门。我们没有搜寻到，证明这里的疑点消除了，因此没有理由捉拿赵弼臣。”

另一位学生说:“地道暗门的事先放一放。我的想法是，这么多重要书籍，为什么只让几个老头儿管着，不给我们辅仁书院？我们有那么多学生，迟早是朝廷栋梁。我们应该到扬州府衙告状、请愿，把海叶阁划拨给书院！”

一群学生一听都来了精神，七嘴八舌地说:“对，海叶阁归辅仁书院，去告状，去请愿！”

“对，告状！请愿！”声音齐了。

年轻的浅薄，最容易转变成冲动。

大家的目光都投向孙掌门。孙掌门却变得没有表情，微皱眉头，看着窗外。

过了一会儿，他终于转过头来，说:“我们自己提出要海叶阁，理由不足，令人起疑。最好是引发市民的响应和支持，那就好办了。”

那位提出告状和请愿的学生说："引发市民同情，很容易。那么多同学在府衙门口一齐跪下，打出的口号是：书院缺书，书在何处？凭我们的年龄，就足以感动半个扬州了。"

“接着就可以点名海叶阁了。写一条横幅:辅仁学子，求救海叶。再写一条更动人的:海叶海叶,施我一叶！”另一位学生笑着说。

一位教师立即跟上:“真正要博取同情，还要指派学生回家请出自己家的老人，一起跪在那里，邻里乡亲也可以。等大家跪好了，就由一个学生去衙门口击鼓上诉，官员也就不能置之不理了。”

“不要过分！不要过分！”孙掌门连忙伸出两个手掌,做了一个向下压的动作。

9

预计中的场面，第二天下午就出现在府衙大门前。

几十个学生拉着三条长长的布幅标语，在府衙前站了一会儿，就齐齐地跪下了。很多市民赶过来观看，看了好一会儿也不知道发生了什么事。

昨天所构想的家中老人，并没有来跪。倒是有两位老大爷在拉自家孩子起来，要他们别冲着官府闹事。孙掌门没有出现，有三位教师站在远处，但神态像没事人一样。

市民们吵吵闹闹地议论过一阵，也就无话了，只把眼睛盯着府衙大门。但是，很久很久，大门里没有人出来。

跪着的人和站着的人，都变得没有声音。

其实，在刚才吵吵闹闹的时候，大门的一边曾经晃悠出来两个衣衫随意的老者，像是在里边帮佣的人，谁也没有去注意。这两个老者看了看布幅标语，挤在凑热闹的市民堆里，不再有动静。

无声无息的时间太长了，站在远处的一位教师慢慢走到跪着的那排学生前，轻轻嘀咕了两句。很快就有一个大高个学生站起来，快步走到堂鼓前，取下鼓槌，仰起头，敲击起来。

“击鼓告状”是中国自古就有的老招式，但是扬州早就不实行了。因此听到低沉的鼓声，大家都觉得陌生。

市民一下子涌到鼓前，看那个学生敲。那个学生敲了十来下，松松的鼓皮上落下来很多灰尘，盖得他满头满脸。他放下鼓槌，顿足抖掉头上、身上的灰尘，便站在鼓边看着府衙的内门。

按以前的老规矩，鼓声响过，应该有长官升堂的呼声。然后，又会有差役出来，提引击鼓人。

但是，这一切都没有发生。

没有升堂，没有呼声，没有差役，当然，更没有长官。只有看热闹的市民，挤在击鼓学生一边，一起瞭望，一起等待。

这时，很早就从大门一边晃悠出来的那两位老者出现在击鼓学生面前。其中一位，闭着眼睛，一脸睡相，一开口声音居然还很响亮。他说："我是里边的刑名师爷，可以顺便过问一下你们这事儿。你让跪在那里的伙伴都起来吧，站到这里，听我问话。"

跪着的学生早就跪累了，听到一声招呼都起来了，挤挤地站在刑名师爷前面。

师爷先问击鼓的学生："击鼓，是要告状。请问，你告谁的状？"

击鼓学生一下子语塞了，支支吾吾地说："为了海叶阁的事……"

师爷看他讲不下去，又问："哦，你们是要告海叶阁的状。那么请问，告海叶阁什么？海叶阁强占了辅仁书院的财产吗？"

击鼓学生说："倒也不是，我们觉得海叶阁应该归属辅仁书院……"

师爷说："哦，原来是倒过来，你们想强占他们。那这状就告反了，应该是海叶阁告你们企图强占。"

学生说："不是强占。我们书院那么多学生，正需要书，而海叶阁却没有学生……"

师爷说："那你们应该向海叶阁请求借书呀，跪到府衙门口来干什么？"

学生说："我们是想请求青天大老爷，把海叶阁划拨给我们。"

师爷大笑了两声，说："划拨？海叶阁不属于官府，辅仁书院也不属于官府，凭什么划拨？莫不是，你们书院的老板，试图借着学生的无知，借着官府的名义，来一次巧取豪夺？"

师爷自有师爷的理路和口才，三下两下，把学生的心理捣得一败涂地。看热闹的市民也听懂了，都用奇怪的眼光看着灰溜溜的学生。

师爷知道事情已经解决，又顺着刚才的话语轻松问了一句："对了，你们书院的老板是谁？"

击鼓的学生这才回过神来，恭敬地回答道："不知道是谁，听广陵钱庄说，是隐捐者。"

师爷立即说："那我刚才说错了，隐捐者不会巧取豪夺。我在这里，向他道歉。"

说完，师爷就向另外一位老者挥了一下手，两人一起走进了府衙的大门。他们走进去的步履，比走出来时神气多了。自在，稳重，轻松。当然，也是因为知道背后有那么多目光在护送。

当天晚上，孙掌门被北京来的那两个刑部官员找去，受到了严词训斥。

孙掌门反复解释自己没有参与，刑部官员只是冷笑了一下。

但很快，冷笑变成了热笑。刑部官员告诉孙掌门："现在发现了一个新疑点，赵家真有可能遇到麻烦了。到时候，海叶阁也可能改变主人。但这事，还有待细查，急不得。"

第三章

1

刑部官员所说的新疑点，来自于北京信使骑着快马送来的一份加急文书。送来的时间，正巧是学生们击鼓告状的那个下午。

我们已经说过，在和珅还得势的时候，为了查找“王直遗存”,那位叫何求的黑衣密探曾经请一位退休的工部侍郎回京查找文档中扬州城地库、地道分布图。工部侍郎年老体衰，等到查出，和珅已倒，世代已变。但新任的官员对地下分布图仍然充满期望。秘密的地库、地道里，一定有巨大暗藏，不管是不是王直的。现在借着查和珅大案的名义，一开挖，有百利而无一弊。北京信使送来的加急文书,其实就是几份地下分布地图。

地图很模糊，又不确定。于是，那两个刑部官员就带着北京信使，找上了扬州府衙。府衙官员们看了也一头雾水，只认出比较清晰的一个圆圈，应该是一个大地库，似乎在赵府边上。

找来一个熟悉那地方的小官仔细辨认，小官说，那地方，应该是赵府别院的位置。

那两个刑部官员一听，果然是赵府!

早就怀疑了，已经挖了好些天，原来在别院。别院有大地库，大地库就是大疑点！和珅的人马当初就看中赵府，不是没有原因。

那个刚来的北京信使似乎很知情，说了句:“原以为排除疑点了，原来疑点在别院，一墙之隔，风烟再起！”

于是，会商开始了，刑部官员、府衙官员，再加那个北京信使。

刑部官员的意思很明确，既然有了地图，又扯得上和珅大案，那就可以立即提审赵弼臣，查封正院和别院，全面开挖。

但是，扬州府衙的官员不赞成。他们说，即使地图无误，也只是老房子下有一个老地库，说明不了什么问题。这样的地库，扬州不少。赵府别院如果真有地库，会不会已经坍塌？说不定，只剩下了一堆老鼠洞。赵弼臣是本城名士，声誉不错。如果早早麻烦了他，到头来什么也没有找到，府衙的脸往哪儿搁？

刑部官员和北京信使一听有理，同意不先提审。但是既然疑点重重，又有可能潜藏着大笔财富，万不可掉以轻心。最后府衙官员也同意了，先对赵府和别院进行隐藏监视，然后找一个借口，派人进入别院，查看一番。

说是隐藏监视，但很快就被赵弼臣发现了。更让他惊心的是，据仆役报告，别院门外也有奇怪的人。

别院！赵弼臣的心收紧了。

他是一个冷静的人，过了一会儿，已经把握住了自己。他想，既然出现了危险的信号，那就必须把几道原来怎么也不想撤除的厚壁戳破了。说不定，真会遇到什么大变故、大灾难。

虽然事情的起因他还一无所知，但历来真正的大灾难都是不知起因的。现在自己要做的，不是追寻原因，而是当下应对。

当下，密集的凶险正步步进逼。这些晃荡在门外的监视者，会不会突然冲进来拔出刀子？

这么一想，他觉得应该作一些“危机安排”了。

他挥手叫来一名差役，说：“赶快请邹阁老到我家来！”

邹阁老早已听到辅仁书院的孙掌门和学生们在海叶阁所做的一切，气愤莫名。他关照另外两位阁老与他一起隐潜在家，绝不与孙掌门他们照面。他想，孙掌门只是落井下石，顺手牵羊，绝不是事情的主导者。

事情是冲着赵弼臣来的，上面什么人与他有什么过节儿？完全不清楚。而且，也不清楚赵弼臣愿意不愿意吐露。

因此，他只在住所里苦苦等待，就等赵弼臣开口。

现在，赵弼臣终于来请自己了。

2

从邹阁老家到赵府，并不远。但是，邹阁老是步行去的，因此要花一点时间。邹阁老喜欢步行，不愿意坐车坐轿，而且，他步行的速度比较慢，习惯于边走边想。从他步行的速度，可以判断此刻他想深了还是想浅了。现在，他走得比平常更慢。

他觉得，今天赵弼臣一定会有一些重大秘密告诉自己。局势如此恶劣，再不告诉，也许就来不及了。

对于这种秘密，邹阁老不知底细，也从不盘问，却早有预感。例如，岑乙曾经探询过的赵府财源，就是其中一项。几个人作过多少次合理的推断，又作过多少次无理的猜想，却没有一条站得住。真相究竟如何？赵弼臣为什么不透露一丝一毫？我们在谜中生活几十年，却一直不知谜底，是不是不太公平？

又如，府院墙外的别院，也让人费解。看得出来，他非常在意别院，却从来不想让他们涉足，即使近在咫尺。说是女儿赵南回扬州时住在里边，比较安全。但是，那么多年，为什么没让我们见赵南一面？这种躲避，非常刻意。

……

总之，忠厚而诚恳的赵弼臣，显然会有憋了几十年的私房话需要倾吐，我们一直等着。

那么，会是今天吗？

邹阁老一生经历过的事情太多，从书籍中读到的事情更多，因此，来什么都受得了。

他这么一想，加快了脚步。

3

当邹阁老出现在赵弼臣眼前时，两个多年相交的人，成了两尊花岗岩雕像。默默地对视着，好一会儿不说话。

还是赵弼臣先开口。

但是，他没有采用寻常的谈话方式，而是拉开了距离，提升了高度，用凝重的口气，从头自白。邹阁老一听，如坠五里云中。

听了一会儿，才渐渐懂了。

赵弼臣是这样说的——

“对于最好的朋友,也会藏下最后的秘密。今天,彻底揭秘。”

“在我家里，最浅的是傻儿子，其次是我，你都见了。不浅的是亡妻，最深的是女儿，你都没有见过。”

“亡妻出身苏州富商之家，却学了昆曲，全家反对，但她虽然学得一般却从未后悔，只恨一生读书太少，所以自愿嫁给了海叶阁主人。嫁后才知，这个主人读得比她还少，故临终留下的遗嘱只有一个字：书。”

邹阁老觉得赵弼臣短短几句已经讲得太浓密了，听在耳里一时化不开，就说：“等一等，等一等，你别说得太快……”

但是，赵弼臣好像没有听到，还是一味说下去：“昆、书两憾，仅留一富；而岳丈身后，商亦渐荒。商荒则财枯，海叶阁藏书难以为继。岂料天赐英才，女儿赵南从小在苏州见习外公商事，十六七岁便执掌贸易，竟令家财猛增数倍，故有海叶阁滚滚财源。”

“什么？一切都因赵南？她才是海叶阁的大财神？实在是难以置信！实在难以置信！”邹阁老诧异得合不上嘴。

“她知道如果暴露年龄和性别，一定会妨碍商场信赖。因此，只能隐潜在后，暗中指挥。除了她的几个助手，几乎无人知道真相。只有我，今天又增加了你。”

邹阁老还没有从惊讶中走出，惴惴地问：“她，是在苏州做贸易吗？”

赵弼臣说：“苏州只是基地，她主要做外国贸易。”

“外国贸易？要出洋吗？”邹阁老问。

“不必出洋，浙江沿海有几个通商岛屿，她着力的是一个小小的武运岛。”赵弼臣说。

“武运岛？怎么听起来有点日本味道，莫不是与倭寇有关？与当年王直他们有关？”邹阁老问。

“倭寇早已剿灭。赵南是做荷兰、葡萄牙和南边一些国家的生意。”赵弼臣说。

“咳，这真是一个奇女子！”邹阁老叹息道，“守护了外公的家业，守护了母亲的遗嘱，守护了父亲的楼宇，这如何了得！”

事情过于奇特，邹阁老仍然处于惊讶的兴奋之中。

他梳理着海叶阁的种种往事，似乎都有了答案。为什么每次报出购书的天价，赵弼臣先生都考虑两天？没见他出门，也没见人进来，两天后就爽快地答应了，原来是与女儿沟通了。

女儿！这个年轻女儿的雄才大略，居然促成了南北图书的大汇集，家族门庭的大气派，而自己却躲得毫无痕迹！

“举世罕见，实在是举世罕见！”邹阁老感动得频频摇头。

邹阁老的感动，引起了赵弼臣的感动。他举起手来，以极快的速度擦了一下眼泪。

感动了一会儿，他抬起头来，想说什么，却又低下头去。

邹阁老知道他还有话，不便追问，只是看着他。

赵弼臣终于憋不住，而且危急的情势也不容他再保留什么，便期期艾艾地开口了：“她，她还守护了一样东西，是她母亲没做好的东西……”

“那是什么？”邹阁老问。

“好，对你，什么也不想隐瞒了。那就直说了吧:是昆曲。”赵弼臣说。

对此，邹阁老倒是没有惊讶。母亲唱戏女儿学，比较正常，就问：“你是说，她还会唱昆曲？”

赵弼臣说：“不止会唱。”

“不止会唱？还登台表演？”邹阁老笑了，“一代女财神竟然多才多艺，让人喜悦。”

赵弼臣又说：“不止如此。”

“还不止如此？”邹阁老疑惑地看着赵弼臣。

赵弼臣终于下了决心，说:“每次席卷扬州城的神秘名角吴可闻，就是小女赵南！”

“什么？”这下邹阁老霍地站起身来，上前一把抓住赵弼臣的衣袖，“你是说，吴可闻就是赵南？”

赵弼臣点了一下头，像做错了什么事一般低下头去。

仿佛是他，欺骗了扬州观众，欺骗了扬州全城。

4

这些事情加在一起，对邹阁老来说，简直是五雷轰顶。

他当然知道历史上的真正优秀的人物都可能多面优胜，甚至多面登顶，但是，当这样的人物真的出现在自己附近，就难以适应了。更何况，这个人物是那么年轻，又是女性。

赵弼臣还在一边解释："今日最开通的智者，也无法把巨商和名角合于一体。一合，两头受损。但她又不甘放弃演唱……"

邹阁老说："她这么做，一定是要狠狠地弥补一下亡故母亲的一个遗憾。"

"不。"赵弼臣说，"我原先也这样想。但如果为了这个目的，演一两场告慰在天之灵就够了。慢慢我看懂了，这是天授英才的创世激情，她不能不演。幸好，别院下面除了地库，还有一条远年地道，经过秘密修整，一头可以通此楼，一头可以通梓园。"

"梓园？你是说运河边的剧院梓园？这地道，可不短啊。"邹阁老说。

"是，梓园。"赵弼臣说。

"梓园里应该有人接应吧？"邹阁老产生了巨大好奇。

"有。梓园现任的欧阳老板和夫人，是我亡妻的朋友，看着赵南从小学戏，前几年特地从苏州来到扬州，专门来掩护赵南。梓园经费，当然也是赵南捐的。"

邹阁老叹道："像赵南这样的人物真正要隐身，需要布置方方面面，实在太不容易。赵南把古代那些隐士，彻底比下去了。"

赵弼臣突然把手按在邹阁老的手背上，说："今天我把家里的秘密全都告诉你了。为什么？因为你已经看到，这几天，这楼和隔壁的别院，全被监视了。麻烦的是，现在赵南正好住在别院里。但是，你我直到此刻都不知道到底发生了什么事，既不知道是谁在策动，也不知道目的何在。一切都不知道，因此也就想不出对策。我今天请你来，是向你交个底。如果我和赵南遇到什么不测，世上总还有一个知道赵家内情的人。”

这话让邹阁老又一次深深感动了。他再度从椅子上站起身来，伸出双手握着赵弼臣的双手，说：“你的诚意，我永生铭记。我年纪大，经历的事情多，因此请听我一句：千头万绪第一条，必须掩护赵南赶快离开！”

赵弼臣说:“这楼和别院都已被监视，只有一条路了，从地道到梓园。”

邹阁老说：“不错，这是唯一的路，你也要与女儿一起离开。你们走后，我会拼着老命守住海叶阁。等事情过去，我在这里等你们回来。”

赵弼臣满眼是泪，也不擦，直视着邹阁老，不停点头。

邹阁老用手指支了支眉心，闭起眼睛想了片刻，又抬起头来说:“这两天，火烧眉毛，还需要找一个更年轻的帮手。我觉得那个岑乙可以，比较忠厚，也聪明，我把他拉进来。”

“好，我要写一张纸条给梓园的欧阳老板，请他后天下午在运河口安排一条轻快的远航船。你过一会儿出去后，请岑乙把纸条送给梓园的欧阳老板。”

邹阁老揣着纸条离开赵家的时候看了看四周，发现确有好几个监视者。监视者知道邹阁老的身份，没有过问。

邹阁老一回到家，立即差人叫来了岑乙。那已经是晚上。

5

岑乙这些天正为周围发生的事焦躁不安。

海叶阁被翻挖，赵府被包围，他暗暗觉得，应该与当初查找“王直遗存”有关。但是黑衣人何求告诉过自己，疑点已经消除。更何况，现在和珅也已经倒台，事情早该了结，怎么又来了呢？这次是查和珅，还是查王直？

他思考了一会儿，大致得出结论：以查和珅的名义查王直，目的还是一样，为了起获那笔想象中的大财富。

岑乙想，我已经明白，那笔想象中的大财富，与赵府没有关系。但是，强烈的占有欲促使他们一拨又一拨地对一个臆想的目标穷追猛打，即使政局发生了变化也不收手。这事发展到现在已经无可理喻、极度荒唐。但是，所有的荒唐都是层层添加的，因此没有一种力量能把它煞住。那么，我，作为一个曾经的涉事者，应该如何来阻止他们？

……

岑乙在这般困顿中被叫到邹阁老家里，心情特别复杂。事已至此，要不要把自己与黑衣人何求交往的经历一五一十地告诉这位尊长？他很快就否定了这个动念，因为这等于坦白自己进入海叶阁是来充当暗探和卧底的。有了这个“第一身份”，今后的一切还怎么洗涤得清？

因此，他勉为其难地选择了平静。

邹阁老一见岑乙，对他的平静有点奇怪。海叶阁和赵府已经这样了，我七老八十还心急如焚，你这么个年轻人居然还那么平静，一言不发？

装的。邹阁老想，装大气，装遇事不惊。年轻人的毛病。

但他又在心里产生一丝讥讽："我现在有两个惊天内幕，一旦说出来，看你还平静！"

他记得，岑乙对赵府和海叶阁的神秘财源很感兴趣。他更记得，岑乙是梓园名角吴可闻最热烈的崇拜者。如果岑乙一旦知道，财源来自一个小女子，而这个小女子就是吴可闻，真不知道会不会当场晕厥过去？

邹阁老明白，今天不是让他晕厥的时候。一晕厥就会坏事。但是，这个年轻人，是自己唯一向赵弼臣推荐的年轻帮手，因此又不能不把紧迫的实情告诉他。

邹阁老向岑乙投去最信任的目光，说："其实你已经看到，海叶阁和赵府正在遭人暗算，不仅查翻了，还被监视着。我与赵弼臣先生商量，他必须在对方下手前离开，与住在别院的女儿一起离开。他告诉我，别院的下面有一条地道，一头通赵府，一头通梓园。梓园离码头近，这就是逃离的路。"

"梓园？"岑乙很吃惊，"你是说演戏的梓园？"

"是。"邹阁老说，"你知道了这个秘密，也就掌握了他们父女俩的安危。赵弼臣先生很信任你，他请你连夜把这张纸条送给梓园的欧阳老板。敲门后你只须用最轻的声音说出'赵府'两字，他就会开门。对他妻子，也不必回避。"

到梓园，对岑乙来说是熟门熟路。

他离开邹阁老的家就往梓园走，脚步间有一种前所未有的力量。他从来没有被人如此倚重，倚重自己去救苦救难。

他边走边想，赵府居然有地道，地道的出口居然在梓园。赵弼臣父女从这里上码头，倒是很近。但是，从梓园到码头这段路自己只走过一次，到底有多近，他想步测一下。

这段路是由小卵石子铺成的，在月光下泛着碎碎的光亮。靠近运河了，河水泛出的月光就更明亮了，把两岸的屋子对比成了剪影。

也有几间屋子亮着灯，其中一间的门打开了，走出一个黑身影。岑乙觉得，这身影有点熟悉。

还没有细看，那黑身影就快速走近岑乙，还亲热地拍了一下岑乙的肩。

岑乙眯着眼睛一看，有点惊奇，原来是那个好久没联络的黑衣人何求。

原以为和珅倒台后他们都该倒霉了，至少会受到牵累，没想到在这里再次遇到。

因朝廷争斗而落难，对这样的人岑乙有点同情，何况最后一次见面谈得不错。因此他也就笑着拍了一下对方的手臂："怎么是你，你还好吗？"

6

何求一笑，说:“我知道你会对我有点担心。和珅出事后我和其他几个密探都被关了几天，后来是那个退休的工部侍郎救了我，他终于找出了扬州的地库文档。他本是我安排的，还得我去联络，就把我放出来了。昨天刚从京城到这里，做信使，送文档里的地图。”

原来，这几天轰传扬州官场的“北京信使”，就是他。

岑乙看着何求，一脸疑惑。

他问何求：“你不是告诉我，这件事情的疑点已经排除了吗？何况，当初是和珅要寻找王直遗存，现在和珅已经倒了，你们怎么会……”

何求轻笑了一下，说：“这事已经与王直、和珅没有关系，只是因为千年富贵之城扬州底下发现了地库、地道，而朝廷又急于收纳隐匿民间的巨大资财。巨资藏在民间，朝廷很不放心。表面上说是追查王直、和珅，只是借口。”

岑乙问:“如果与王直、和珅无关，那你们又怎么给民间巨资定罪呢？没有罪名，怎么收缴？”

何求说:“已经商量过了，就是逼财主逃跑。只要一逃，就可定为畏罪潜逃。谁也不会询问是什么罪，只在乎逃。”

岑乙问：“你们还是要向赵府下手？”

何求说:“从老地图看，赵府别院底下有地库和地道，那当然是匿财的重大疑点。”

岑乙用森然的目光盯着何求，突然用低音问一句：“这样做，是否于良心有愧？”

何求一怔，闭了一下眼，终于说:“老弟，我在和珅手下做过事，是戴罪之身。为了将功折罪，我不能不这样做。我苟且偷生，不为别的，就是为了寻找我失散多年的妹妹，这是我在世上的唯一亲人。”

岑乙还是不放过，继续问:“你为了找妹妹，那赵家不就毁了吗？”

何求说:“赵家毁不了。我们上次不是查出来了吗，他家至今在苏州还有源源不断的商业进项。我们逼赵弼臣出逃扬州，当场擒获，定下罪名，就可以放他到苏州享福了。”

岑乙一时语塞。他心里明白，眼前这事，比和珅做得还坏。和珅只是惦念远年遗存，现在则是加罪窃财了。何求本人，未必有财富目的，说是为了苟且偷生，寻找胞妹，但他实在是把坏事推向了极端。他是可恶之人，又是可怜之人。

想明白了，岑乙决定，要用一些计谋套出他们的行恶步骤。他立即放松表情，露出笑容，说:“我明白你的苦衷了。我们也算交往过，你如果有什么事要我帮忙，不妨说一声。”

何求笑了，说:“关键是要逼跑并擒获赵弼臣。你能不能去通知一下辅仁书院的师生，要他们这些天多去码头，还要安排一些人守住闸口，检查出闸船只。”

岑乙假装什么也不懂，说：“嗬，那么多船，要一只只查，闸口一定堵塞，这江不就死了？”

何求说：“所以我要关照码头，任何一条船如果发现赵弼臣，就挂一个信号，例如三角小黄旗，抓到了有奖赏。”

“那就万无一失了。”岑乙说，他心里悄悄记住了：三角小黄旗。

何求又重复了一句：“只要赵弼臣因逃跑而落网，一切都好办了。”

岑乙与他告别后，向梓园走去。

到了梓园，先不敲门，而是绕着门外广场走了两圈，注意周围没有动静，才向大门边的一个小侧门，举起手来。

岑乙与欧阳老板夫妇并不相识，第一次见面不能多说什么，只是交纸条。但老板夫妇凭着赵家在这个当口上请他来送，已对他满眼热忱。岑乙临出门时低声说了一句：“码头有人做了手脚。船家，三角小黄旗，奖赏。”

老板夫妇，是码头上无人不知的大哥大嫂。第二天一早就把黑衣人何求昨天晚上来布置的内容，了解得一清二楚。

果然是，只要见到赵弼臣，便在桅杆上挂三角小黄旗。抓住人，赏银两。

老板夫妇花了不少时间与几个码头兄弟一起商量对策。老板娘原来也是昆曲中人，至今风韵犹存，她与本城昆曲班的女艺人非常熟悉，因此又加了一些办法。

岑乙当然不会按照何求的安排去辅仁书院找学生。但是，何求自己却在赵家门口见到了孙掌门，于是又低头布置了让学生到闸口查船的事。

一个人在阴暗角落里待久了，一旦走出来就会变得特别高效，好像是要狠狠地补偿过去。现在的何求就是这样。

这个宿州人显然是被自己的方略和高效迷住了，精力充沛地投入了一件坏事。人们心目中的很多恶人，都与这种自我着迷有关。他们耳边，缺少猛喝一声的嗓门，把他们惊醒。

7

码头月夜的第二天，什么事也没有发生。

但是，赵府的监视者向何求报告，赵弼臣寓所的窗帘在白天也没有打开，里边传来搬动物件的声音。别院的监视者也报告了，那个叫小丝的女子，赵弼臣女儿的助手，一天上街好几次，手里拿着一个不小的提包。

何求听说后，对两位刑部官员说："不管他们通过什么路径离开宅院，总要来到码头。码头晚上不开闸，上午船只大堵塞，事情必定发生在明天下午。"

说完，他要求府衙准备五艘稽查船，派一人通知辅仁书院孙掌门，再派一人去一次码头。麻利地做完这一切，他搓手笑了。

终于，到了至关重要的那天下午。

赵府和别院的监视者不断向何求报告，没有任何响动，没有人员出入。

何求说:“看来已经用地道了。但是，用天道也没有用，我在码头兜着呢！”说着他就动身去了码头,躲在一个临河的小窗里指挥。

码头的景象有点怪异。

五艘稽查船排列得很好。运河两边，各两艘，隔开三丈远。余下一艘，作巡逻。一旦有事，由巡逻船发个信号，两边的四艘立即围过来配合。

码头上可供雇用的远航船估摸有十几艘。细数一下，是十八艘，整齐地排列着。其中任何一艘，只要见到赵弼臣上来，就会在桅杆上挂出三角小黄旗。赵弼臣大家都认识，高个儿胖子，秃顶，过去经常到码头雇船，出手大方，船家一见，都叫他“赵公元帅”，那在民间是对财神的称呼。

抬眼看到前面闸坝上，有一些晃动的影子，那是辅仁书院的学生，多数都躲在石礅背后。只等什么时候一条挂了三角小黄旗的远航船被几艘稽查船逼进闸口，大伙儿就会跃身而出，涌上远航船，抓出逃犯。那样，就可以在官方文书中描述成“被民众当场扭获”。

照理五艘稽查船也能抓人，但那就没有什么看头了。只有“被民众当场扭获”，事情就有了天然的正义性。

从这么一个场面看，何求实在是一个天才，他居然会把事情折腾得那么庞大，那么周密。现在，他已经没有时间思考这究竟是怎么回事，只是集中脑力盘算着每一个环节。

但是，出乎何求意料，他发现码头和闸坝之间的河湾处，又停泊着几十艘小游艇，每一艘都插着很多花，很耀眼。细细看去，每艘游艇的主角都是衣着鲜亮的女孩子，而划桨手则是一色的小伙子。这可能是哪家盐商要为儿女举行一场水上婚礼吧。水象征着财，扬州富豪喜欢搞各种水上仪式。但当地有一个规矩，水上婚礼要等到江上的主桅大船发动之后才能开始。所以，这几十艘小游艇都在等着。

整个景象看起来很热闹，其实很安静。每个方面都在等待一个起点，却不知道起点在哪里，什么时候出现。躲在临河小窗里的何求虽然自命总指挥却也在等待起点。他还是相信自己刚才的判断，起点在地道，一条不知道出口的地道。只要赵弼臣从地道口来到码头，一场围猎立即开始。

8

此刻，地道里的起点正要启动。

地道很干净，多年来用砖石整修过两遍，像是一条紧窄的长廊。一行人，为首的就是赵弼臣，高个儿胖子，秃头。在他边上是一个飘逸的麻衣女子，麻衣上面连带着一个高于发髻的麻色头罩，因此看不清脸。当然，她就是赵弼臣的女儿赵南。赵南身后，跟着三个褐衣女子，其中一个就是她的助手小丝。

赵南从别院下到地道后，就从麻色头罩里向父亲宣布了两项决定：

一、监视那么严，为防万一，父女的船必须分开走；

二、小丝必须上父亲的船，全面照料生活，还要负责与自己的联络。

赵南虽是女儿，却是个真正的大人物，历来所作判断都高于父亲。这两项决定，也思路明晰、干练果断。但今天父亲要提出异议了，为了第二项。

父亲说，赵南从来没有离开过小丝。一条小船远行，不知会遇到什么，两个随身小丫鬟处理不了。

赵南没有回答，小丝已经搀扶住了赵弼臣的手臂。

就这样，走到了梓园的地道出口。

这个出口，就在欧阳老板夫妇的卧房内室。赵南以前每次都从这里出来，化身为吴可闻。登台演出后，又在这里回归赵南，嫣然消失。

走出地道后，赵南首先把老板娘拉到一边，要她另行安排一条小船。老板娘听了一笑，说："小船不止一条，安排妥了！"

一行人从梓园到码头，没有走那条卵石铺的路，而是穿过两间废屋，走过一个草丛，又进入一扇木门。跨出一道高高的老门槛，就见到了河水。

对于码头上等待着的无数眼睛来说，这行人简直是从天而降，却又影影绰绰、若有若无。

但是，临河小窗里的何求明白，起点已经出现，场面就要拉开。

9

五艘稽查船上的眼睛，都盯着那一排远航船的桅杆，等着哪支桅杆挂起三角小黄旗。

过了好一会儿,都没挂。仿佛有不少人上了好几艘远航船,但都没挂。有的船已经启动，还是没挂。

可见，赵弼臣还没有上船。

上了船而不挂，那是不可能的。因为仅仅挂一下，银两收入就超过平时半年的辛苦钱。

启动的远航船越来越多,但还是没有见到一面三角小黄旗。

稽查船上的眼睛，开始有点慌乱。

就在这时，锣鼓和鞭炮突然响起，河湾处的几十艘小游艇一下子变得热闹非凡。划桨的小伙子们边划桨边欢叫，每艘游艇上鲜亮的女孩子们向两岸热情挥手，中间一艘比较大的游艇上拉出一条横幅，上面写着三个大字："梓园祭"。

这一下两岸民众明白了,原来这里并不是要举行水上婚礼，而是全城昆曲班的联合庆典，以赛舟的仪式进行。这个庆典每年都有，只是今年改动了时间。那个"祭"字，没有悲哀的意思，而是延续了自古以来的"水神祭"、"花神祭"。昆曲班是在祭戏神，就称之为"梓园祭"。他们说，唐朝长安就有过"梨园祭"，连唐明皇和杨贵妃都参加过。

每年“梓园祭”，都会吸引大量市民挤到岸边观看，那是因为，一切都太漂亮了。划桨的小伙子，本是戏班里的武功演员，光是身材肌肉就十分耐看；敲锣打鼓的，本是戏班里的专业乐手，板板眼眼都入耳贴心；当然更惹眼的是花枝招展的女演员们，她们卸去了戏妆，一色自然打扮，让扬州市民发现，寻常街巷间的美丽比戏台上的姿色更加夺人心魄。

这次“梓园祭”，是梓园的欧阳老板夫妇临时安排的，时间与往年不同，很多市民都不知道。但一听到锣鼓，只要住得较近的，都往江边赶去。

何求和稽查船上的兵丁没想到会出现这种赛舟场面，神情紧张起来。他们又看了看一艘艘启动的远航船，仍然没有见到三角小黄旗。

就在这时，变戏法似的，“梓园祭”的每艘小游艇上都挂起了三角小黄旗！

何求知道这不是赵弼臣上船的信号，但是，五艘稽查船已经快速追去。那些傻乎乎的稽查兵丁，只认三角小黄旗。

欧阳老板夫妇昨天想出来的这个障眼法，本来是想保护赵弼臣的，却坏了大事。

他们昨天没想到，赵南要与父亲分开走。刚才赵南急匆匆地上了“梓园祭”中的一条小游艇，现在却成了稽查船追赶的对象之一。

这情势，老板夫妇有点着急，而更着急的，则是已经上了远航船的赵弼臣。

赵弼臣记得邹阁老的话，此役千头万绪第一条，是掩护赵南离开。现在这么一闹，自己安全了，而女儿却危险了。

稍可安慰的是，插有三角小黄旗的游艇很多，稽查船不见得会全部扣留吧？

赵弼臣灵机一动，立即吩咐身边的小丝，通知船家在桅杆上挂起三角小黄旗，想把稽查船吸引到自己这边来。小丝一听就犹豫，赵弼臣着急地向她说明了当下紧迫的情势，小丝最后提出一个条件："挂出三角小黄旗后，你必须立即转移到另一艘船上。"

赵弼臣同意了。小丝也同意了。三角小黄旗挂起来了。

但是谁也没有想到，赵弼臣船上的三角小黄旗一挂出，边上不管是启动还是没有启动的十几艘远航船，全都挂出了同样的三角小黄旗！

这也是欧阳老板昨天的设计。为了保护赵弼臣，破除单一信号，一艘挂了，艘艘都挂。

稽查船发现后面那么多船都挂出了三角小黄旗，不知所措。但他们很快作出判断，后来一起挂的，只是凑热闹。最先挂的，才是信号，赵弼臣一定在小游艇上。于是，不再犹豫，仍然快速去追赶那批小游艇。

赵弼臣在远航船上看到这个情况，非常焦急。赵南的安全，是他唯一的寄托。

那群小游艇，已经靠近闸坝。几个闸门本来是畅通的，但是，赵弼臣看到，一道道闸门突然关闭了。一大群辅仁书院的学生出现在一个个闸口。

这是黑衣人的事先安排。学生后面，有孙掌门的身影。

一场摆开阵势的严密搜查，即将展开。那批学生刚刚已被小游艇上的密集美丽深深吸引，下决心要逐个儿仔细盘问，互相佐证。

赵南，一身麻衣又戴着头罩的赵南，没有穿着戏服的吴可闻，连昆曲班的女演员们也不认识她。因此，过闸门时得不到任何掩护。

那么，"被民众当场扭获"的，不是头号要犯赵弼臣，而是一个谁也不认识，怎么也不讲话，因此疑点重重的绝色女子。

不知身份，理当关押。镣铐披发押过街道时，一定观者如堵。

想到这里，赵弼臣突然走出船舱，直挺挺地站在甲板外沿，大喊一声："我赵弼臣，在这里！"

声音非常雄浑，大家回头一看，果然，高个儿胖子，秃顶，是码头上人人都认识的"赵公元帅"。

五条稽查船立即转向，向他驶去。

挤在闸口上的学生们为了争得"当场扭获"的功劳，分取一份奖金，也都甩开步子朝着赵弼臣那艘船的方向，在河岸上猛奔。

孙掌门和两位教师无力奔跑，只是快步朝那里走去。孙掌门没想到海叶阁主人竟是如此壮严，边走边叹："自己拍着胸脯站出来，真不失为一个江湖汉子！"

学生和教师一走，闸坝空了，闸门开了。

那些小游艇，有的出了闸，有的没出闸。昆曲班的少男少女看到了逮人事件，又看到了那么多人在岸上奔跑，知道"梓园祭”舟赛已经被搅黄，无法进行下去了，便让游艇一一靠岸，纷纷下船。

赵南乘的那条游艇有没有出闸？不知道。她上岸后去了哪里？不知道。

小丝曾经穿梭般地飞奔到码头、昆班一次次询问，都无果而终。大家对那个麻衣女子，居然都没有印象。

小丝丧魂落魄，长久地抬着头，想着各种可能。

10

赵弼臣被关押后，小丝去探视，狱吏不准。

小丝拿出一锭银子，请求狱吏允许每次送一点简单饮食进去，狱吏收下了银子，却摇头。

又塞过去一锭银子，希望能送一套干净的被褥衣裤进去，狱吏想了想，点头了。

这个事件，引起了刑部官员、府衙官员和北京信使之间的严重龃龉。

扬州府衙的官员说："在我们扬州的运河上，声势闹得这么大，那么请问，问罪的理由是什么？"

两个刑部官员说："在监视中潜逃，就该捉拿。"

扬州的官员厉声问："为何潜逃？为何捉拿？如无答案，朝廷蒙污，百姓不平！"

何求没料到扬州府衙如此不予配合。这种裂隙，如果扩大，必酿祸殃。他急躁地说："从明天起，全面开挖这条地道。我不相信找不到罪证。"

于是，一个规模空前的挖掘工程开始了。两个月后，长长的地道，终于变成了街市间长长的壕沟，污泥狼藉，肮脏不堪。地道的这一头，赵家宅楼，毁了；地道的那一头，梓园，也毁了。

天下一切灾难的起点，是将错就错。天下一切灾难的膨胀，是以错补错。此刻的扬州城，已经在不知原因的情况下惨不忍睹。

城里任何地痞、无赖，都可以拿着铲子跳进壕沟中挖一下，看看是不是还残存着什么东西。但是，开挖以来两个月，什么也没有挖出来过。

得知这个情况，扬州府衙的官员们不再理会何求，也不再与那两个刑部官员说话，看他们怎么收场。

何求和刑部官员，这下子真正紧张了。什么也没有挖到，证明从头开始就是一个空案。更可怕的是，这个空案，扬州官员一直没有参与，却时时刻刻在冷眼旁观。扬州不是小地方，条条线索通向京城……

他们想来想去，只剩下了一个老办法：加重审问。

主要审问赵弼臣，赵弼臣总是无言以对。何求专门问他一个问题，而且反反复复问：从地道到码头，运走过多少财物？赵弼臣只说过一句：从来没有运走过一分一毫。此后，不再说话。

赵弼臣很快在狱中生了重病，当然得不到治疗。

小丝一次次到狱吏那里，不断地请求送食物、换被褥，或者求见赵弼臣一面，但狱吏都摇头。后来小丝发现，狱吏的脸，越来越无奈。

何求在捉拿赵弼臣的当晚，就满脸笑容地去盘问了那些船家，是谁让他们挂了三角小黄旗。船家不知有诈，就大方地说出了欧阳夫妇。

欧阳夫妇坚称，每船挂旗是为了“梓园祭”，没有别的意图。直到后来，从赵弼臣别院挖出来的地道一直挖到了他们卧房的内室，他们只能交代，梓园戏院的经费，是赵府供给的。

“赵府为什么给你们钱？”何求问。

“不是给我们，是给梓园，给昆曲。”欧阳老板答。

“是怎么给的？是你们去取，还是谁送来？要有旁证，才能证明你没有撒谎。”何求说。

欧阳老板想了想，觉得这是正大光明的事，说出来无妨，便说：“通过广陵钱庄转来。”

于是，广陵钱庄的掌柜也被提问了。

广陵钱庄的掌柜矮矮的个儿，满头是汗。他只是被提问，不是被关押，因此言语间还有一点专业硬气。他说：“钱庄行规，存钱的客户如果要保密，就不能泄露。”

“如果是土匪强盗的钱、谋反朝廷的钱呢？”何求问。

“那就要官方出具刑案证明。”掌柜说。

“好，我这儿有一方京城刑部的黄铜腰牌，管不管用？请你查验一下。”何求把腰牌递了过去。

掌柜哪里见过刑部腰牌？沉甸甸地在手掌心中一掂，全身都软了下来。他连忙说：“管用，管用。梓园是由一个叫赵南的隐捐者出资的，这个隐捐者严令我们保密。不仅向社会保密，而且也向受施者保密。”

“隐捐者？难道没有透露过任何捐献理由？”何求问。

“没有。”掌柜回答。

“捐了多少？”黑衣人问。

掌柜还是保留着专业性的防范，转头看了看四周，便用很轻、很快的声音说出了一个数字。

“这么多钱捐献给昆曲？”何求很是不解。

“还有更大笔的呢，比捐给梓园的大了整整十倍。也是这个赵南，也是不让社会知道，不让获施者知道，也没有捐献的理由。”掌柜说。

“十倍？”黑衣人吃惊了，“这么多钱捐向了何处？”

这次掌柜没有轻声，而是朗声回答的：“辅仁书院。”

11

辅仁书院的孙掌门这些天非常忙碌。

赵弼臣被逮捕，海叶阁会充公，然后由官府划给辅仁书院。这条弯路，眼看快要走通了。

翻挖地道，只毁了赵家宅楼，没有毁了海叶阁。但是，不久前他们为了挖找地道暗门，也已经把海叶阁糟蹋得面目全非。今天孙掌门开始责怪自己："当时咬着牙齿不心疼，现在要归属自己了，忽然心疼起来。"

他吩咐学生，加紧打扫、整理。

看着一架架扶正了的书橱、书架，他想，还是应该让那三位阁老和岑乙继续管理。"换东家不换管家"，这是商界的一个窍门，自己不妨因循。

他已经三次上门拜访邹阁老，邹阁老都称病不见。他知道，这是文人的脾气，"一身不事二主"。时间一长就好了，过些日子再去。

他想，既然老人犟，那就找年轻的吧。那个岑乙，也算是一个图书专家了，让他先来上班，海叶阁也就摆平了一半。

但是，岑乙找不到了。

岑乙在哪里？

岑乙在做一件大事。

自从那天晚上给梓园送纸条时巧遇何求之后，他就开始在做。那就是，撰写文书向朝廷告发扬州城里的恶行。

岑乙知道，在一般情况下，朝廷不会接受这种告发。但是，现在这个作为刑部信使的何求，过去是和珅一条线上的密探，自己恰是有力证人。他们现在试图以"潜逃"的罪名加害于赵弼臣先生，也是何求亲口向自己讲的。以这样的双重证人来告发，可能有效。

扬州府衙里有一个曾经到海叶阁借书的文吏，已经成了岑乙的朋友。听这个朋友说，府衙官员对北京来的三个人一直很头疼，经常争吵。而这个朋友又担保，告发的文书可以通过他掌握的管道，直送京城。

这些天，他一直躲在那个朋友宿舍边的一间空房里，回忆过去与何求的交往，以及那天晚上在码头边的谈话，边想边写。他从窗口远远看到那条挖开的地道，更是觉得，一切应该停止了。他的告发，已经分两次，由那个朋友送往京城。

他也有过担忧，万一告发不成被反咬怎么办？但一想赵家的遭遇、邹阁老的怒容，也就来了硬气。而且，听府衙的那个朋友说，嘉庆皇帝亲政后一再颁布谕旨要求各级官员“敢于直言”，并为两位以前因直言而遭贬的高官尹壮图、曹锡宝平冤昭雪。岑乙一听，胆子就大了。自己不是官员，要贬也贬不了哪里去，只是“直言”而已，怕什么？

府衙的那个朋友，有时还会带来何求他们审问赵弼臣和欧阳夫妇的一些情况。

那天，府衙的朋友突然说，那三个北京官员可能要回去了。因为北京刚刚传旨，不准借和珅的案子扩大查缉、混淆视听。

第二天，那位朋友更是兴奋地说：“你的告发肯定已经成功。”原来，刑部下文急命那两个刑部官员立即回京，而对那个信使何求，更用了“严令”一词，还指令扬州府衙派两个差役押送。

这真是值得高兴的事情。

岑乙继续与那个朋友闲聊。聊到前些日子三个北京官员审问广陵钱庄掌柜的情景，有一个内容让岑乙立即站起身来。

他像是发傻了似的站着，眼光直直的，不言不动。

好一会儿，他才喃喃自语似的问那位朋友:“你是说，广陵钱庄的掌柜坦陈，梓园是赵家捐的，辅仁书院也是赵家捐的，完全是隐捐，只告诉钱庄一个‘赵南’的名字？”

“是这样。”府衙的那个朋友说。

岑乙迷迷糊糊地走出了那间房子，自己也不知道到哪里去，那位朋友也拦不住他。等到他抬头看到邹阁老家的房门，才知道自己想找谁了。

邹阁老听到他的声音立即开门。

这些日子，两人好久没见了，不知从何说起。

“我有很多重要的事情告诉你。”这是岑乙对邹阁老说的第一句话。连问候、寒暄都省略了。

“我也有很多重要的事情告诉你。”这是邹阁老的回答。

但是，实在太重要，谁也不知道如何开口。

那就缓口气吧，稍稍静坐一会儿，慢慢说。

就在这时，响起了敲门声。

12

敲了三下，就传来辅仁书院孙掌门的轻柔声音。

邹阁老的脸色马上虎了下来，大声地说:“生病，不见客！”

然而，岑乙却站了起来。他对邹阁老说:“开门吧，我正好有话要对他说。”

邹阁老说：“那随你。”

于是，岑乙开了门，孙掌门躬着身、点着头走了进来。走到邹阁老座前，细声地问候病情。

邹阁老说：“先说事吧。”

孙掌门随即问候了岑乙，便说了一番他几次上门来早想说的话。大意是，赵弼臣被捕，赵府垮了，但海叶阁不能垮，官方有意让辅仁书院接管，希望两位继续协助，薪俸不变，还可酌情提高。

邹阁老和岑乙实在无法抬眼看他，因为他领着学生破坏海叶阁的场景宛在眼前。

邹阁老只是看着岑乙，平静地说：“这些天我写了一篇文章，叫《毁阁记》，已寄京城，即将付梓。我在文中，没有遗漏每一个相关人物的名字，连那些年轻暴徒的名字，也都一一列出。”

孙掌门的脸色立即僵滞，变成了一片蜡黄。

岑乙对着孙掌门蜡黄的脸说：“我要告诉你的消息不可思议。前天在问案过程中才知道，来毁坏海叶阁的辅仁书院，是由一个隐捐者通过广陵钱庄支付了全部款项。那么大的款项，官府未出分毫，全由独家捐出。你知道这个独家是哪家？”

孙掌门则瞪大眼睛听下文，因为他也不知道。

岑乙说：“就是赵家，赵弼臣家。他们家用了一个化名，叫赵南。”

辅仁书院一直把赵家当作主要攻击目标，此刻才知，书院安身之命的全部根基，都来自赵家！仅仅这个事实，就足以让孙掌门彻底崩溃了。邹阁老和岑乙，连投一个鄙视的眼神过去，也已经没有必要。

现在的孙掌门，倒是真想找一个“地道暗门”，滑脚溜走。

但是，邹阁老还是要在一个关键问题上纠正岑乙：“赵南不是化名，是赵弼臣先生的女儿，一代富商。”

“赵弼臣先生的女儿？一代富商？”岑乙非常惊讶。

“如果你早一点告诉我，辅仁书院的全款隐捐者就是赵南，我的那篇文章就太精彩了，比东郭先生和狼还要刺激。明天通知京城的书局从缓付梓，我尽快改出。”邹阁老故意说得很平静。

孙掌门还没有听完，就像老鼠一般夺门而走。他知道，自己连告别的资格也没有了。

岑乙用鼻子哼了一下。邹阁老连哼也没有哼，只是用眼睛问岑乙，还有什么重要的事情没有说。

岑乙说了那两个刑部官员接到了返京命令，而那个何求则接到了“严令”并被押送回京的消息。

岑乙说，看来险情已经过去。

“没有过去。”邹阁老说得斩钉截铁，“就在你进门前，扬州府衙的官员刚刚来过，他们把所有的责任都推给了北京来人。赵弼臣先生当然无罪释放，但他本来身体不好，诸病缠身，这次一气一吓，已经浑身委顿，似乎来日无多。这些天，由赵南留下的助手小丝照顾着。”

“那么赵南呢？她逃出去没有？”岑乙问。到这时他才责怪自己一直忙着告发何求，连这样的重大事由都要问眼前的八旬老人。

“赵南逃出去了，但完全失踪。小丝通过各种途径寻找，都没有音讯。”

岑乙快速地站起来，说：“我这就去看赵弼臣先生。”

邹阁老也站起来，要送他。

岑乙说：“最难的事，都让老人、女孩承受了，我都没有承受，现在想来真是羞愧万分。以后的事，照顾赵先生，寻找赵南，都该由我来担当。”

邹阁老直视着岑乙的脸，片刻不语。终于提着气说：“看你现在神态不错，大概顶得住，我还要告诉你一个惊天大消息，请你站定了！”

岑乙说：“前面那么多惊人的消息都没有把我击倒，那就再来一个，请说！”

邹阁老说：“请你竖耳细听，一个字也不要漏。赵先生的女儿赵南不是别人，就是你日夜痴迷的吴可闻！”

这下，岑乙真的蒙了。

他以求助的目光看着邹阁老，希望赶快说明这是玩笑。但邹阁老很严肃，以前也没有开玩笑的习惯。

过了好一会儿，岑乙只能轻声对邹阁老说：“请你关门休息，我要在你门外的石凳上坐一会儿。这事情，对我来说太艰深、太宏伟了。”

“我陪你一会儿吧？”邹阁老问。

“你不能陪，只能我一个人想。”岑乙伸手把邹阁老的门拉上了。

石凳很凉，月色更凉。

第四章

1

真正的悲剧是无法弥补的。

事情本身总会过去，但时间不能治愈根本性的伤残。奇峰崩塌了，翠湖干涸了，山溪断流了，古树枯死了，一切都无可疗救。

人世悠久而平庸，只因遗失了太多的优秀。

剩下极少数有记忆的人，在废墟间行走。

路上的岑乙，思绪万千。

他从小至今没有走过远路，看到陌生的山河田畴，常常会眼睛一亮，停下来张望一会儿。但是这次，停步观望的机会很少，而陷入苦思的时间却很多。扬州的岁月，特别是最近一段时间的经历，使他的内心产生了巨大的混乱。

他希望理出一些头绪来，但非常困难。

早在泰州由童生录入秀才之后，就明确知道，自己的毕生追求，只有四个字，那就是“诗书礼乐”。《易经》又把这四个字概括成两个字，叫“人文”。别看这两个字仅仅六画而已，却气度恢宏，能够“化成天下”。

但是岑乙却真切地看到，“诗书礼乐”非常脆弱。你看，只不过是那个黑衣人何求一折腾，海叶阁没了，梓园没了，辅仁书院没了，隐名捐献“诗书礼乐”的一代巨商没了，当然，吴可闻也没了。

何求的折腾，开始的时候只是捡拾了一个有关“王直遗存”的传言。传言毫无实据，但黑衣一抖，就把一座古城的“人文”扫得七零八落。产生了这么大的恶果，何求本人却没有太大的企图。他只是，为了苟且偷生，寻找妹妹。

这究竟是怎么回事？

难道，“诗书礼乐”不可相信？“化成天下”不可相信？岑乙感受到一种两手空空的绝望。他觉得总该抓住一些东西，哪怕是一枝一藤，一叶一草。

毁了的一切当然是抓不到了，但还有一丝希望。那就是，有可能已经不在了、也有可能还在的赵南。

这一丝希望不属于个人。当他一步步得知这个赵南居然一人独挑辅仁书院、海叶阁藏书、梓园演剧这三柱大梁而无求外援的时候，感受到了一种只属“人文”的极度完美。当他一步步得知这个赵南承担如此重任却润物无声的时候，感受到了“化成天下”的惊人深义。

因此，他必须寻找赵南。他似乎接到了一个无上的命令。

接到这个命令的，应该还有那个尚未谋面的小丝。

小丝刚把赵弼臣先生从狱中接出，才侍候几天，就听说有人在江苏太仓的浏河口见到了一个很像吴可闻的身影。赵弼臣先生在病床上得知这个依稀传闻，便下令小丝去寻找。

小丝觉得不能离开奄奄一息的赵弼臣，但赵弼臣说：“如果找到赵南，我死了也是活着；如果找不到赵南，我活着也是死了。”而且，他还威胁，如果小丝不去找赵南，他开始绝食。小丝一听，就以最大的努力安排好赵先生的医护细节，立即出发。但是，直到赵先生临终，还没有回来。

浏河口？这是一个不常听到的小地名，应该是一个出海口。赵南怎么会去那里？

邹阁老说，赵先生临终时口中最后吐出的两个字是“苏州”。苏州，这是他自己的怀念，还是对赵南去向的暗指？

现在，岑乙就是去苏州。

清代嘉庆年间的苏州，也已经太老太老。老到这个份上还依然繁华，实在是天下城市的奇迹。苏州是赵南的出生地，童年、外公、母亲、读书、习商、学戏，都在这里。岑乙不知道赵南走过哪些街道，却沿路都在默默道歉：苏州，我们把你最优秀的女儿弄丢了，真对不起！

“我们”是指谁？是指扬州吗？好像不大对。

岑乙突然想起，这事说来复杂：先是苏州把赵南弄丢了，后来才是扬州。也许，还有别的城市，一次次弄丢。

对城市来说，是弄丢；但对赵南自己来说，是消失。

但是，为什么要消失呢？

这是一个极为辛酸的问题，几乎每个中国城市都知道答案。凡是过于出色的人，如不消失，就会消灭。

“诗书礼乐”皆非强力，无以自卫，因此不管在苏州还是扬州，赵南都想尽了消失的办法。消失于匿名，消失于地道，消失于别院，消失于戏妆……

她太知道世间之美，因此每次消失都是拭泪离别。

这个窈窕的屈原，在许许多多边界之间，写了一篇篇无字的《离骚》。

但是，她又固执地企图在自我消失之中，创造一些不会消失的东西，因此她非常忙碌。只可惜，不会消失的东西也会背叛。就像那个辅仁书院，从掌门到学生，全都成了那副模样。这仍然是一种消失，更深刻的消失，善的消失，美的消失，诗书礼乐的消失。

因此，城市把赵南弄丢了，赵南又把一切弄丢了。

岑乙边走边看着苏州的城墙、寺庙、古塔、石坊，心想，对一座城市来说，究竟什么最珍贵？似乎，不是这些不可搬动的物体，而是那些惊鸿一瞥的背影。

但是，一座座城市发生的故事，都因自私而排他，再因排他而贬逐，又因贬逐而凄荒。这种无形的力量，无所不在，无所不包，无与伦比，无远弗届。

岑乙很想长叹一声，举目四顾，只深深地吐了一口气。

2

岑乙又回想起临行前与邹阁老的那次长谈。

记得邹阁老说："只剩下海叶阁了。辅仁书院很想霸占它，自己却垮了。赵先生留下的遗产还能维持它一段时间，但我太老，你要走，谁来管？"

顿了顿，他问岑乙："你还记得那两个来借阅汤显祖和洪昇的昆曲女演员吗？”

“记得。”岑乙说。

“梓园已毁，她们不想到别处演戏，愿意来管。她们来了，我想给海叶阁改一个名字，叫梓园祭。”邹阁老说。

“梓园祭？昆曲班赛舟仪式的名字。用作藏书楼，合适吗？”岑乙问。

“合适。”邹阁老说，“那天赵南就消失在梓园祭的仪式上。而她，又是梓园的主人和主角，可以作为纪念。藏书楼同样是她的财产，也应该用这个名字参与纪念。”

岑乙一听，霍地站起身来，说：“啊，太好了，就用这个名字！”

邹阁老还在说下去：“我活到八十岁才终于明白，人文难守，唯有祭拜。一个祭字，如酒酹地，如泪留痕，即为人文。”

岑乙随即目光闪亮，轻声重复着：“如酒酹地，如泪留痕，即为人文。说得精彩至极！”

正要告别出门，邹阁老突然将他一把拉住，说自己毕竟老了，忘了一件最重要的事。

邹阁老说，赵弼臣曾经提起，他女儿赵南经商，着重做外国贸易。主要场地已不在苏州，而是在浙江沿海的一些通商岛屿上。特别是一个小岛，叫武运岛。

刚说出这个岛名，邹阁老还补充了一句：“这名字我为什么会记得？因为有点倭寇的味道。”

浙江沿海，武运岛……

岑乙的脑海里老是盘旋着这个地名。几次托人到官府细查勘舆图，但那岛太小，连详细的军事防备图上也找不到。

事情的转机，发生在从虎丘到昆山去的半道上。去昆山，当然是为了昆曲，为了吴可闻，为了赵南，为了那个“祭”。

那天下雨，又有风，路上泥泞难走。好不容易见到一座破旧的凉亭，躲进去避雨。凉亭的石凳上，已经坐着一个瘦瘦的中年男子。

两个男人，凉亭相遇，必然交谈。这种交谈在开始时有三通程式。一说天气，二报姓氏，三问籍贯。籍贯又分两节，先是出生之地，再是谋生之地。

中年男子姓陈，是一个落第秀才，在无锡谋生。问到出生地时，说是“一个很小的地方，叫陈家卫，在海边”。

“在海边？我向你打听一下，有一个小岛叫武运岛，你听说过吗？”岑乙问。

没想到中年男子哈哈大笑：“那离我家，一箭之遥！”

这让岑乙非常兴奋，连忙挨近坐过去，认真攀谈起来。

岑乙从中年男子那里知道，陈家卫在大陆，与武运岛隔海相望。说一箭之遥是夸张，没那么近，但也不太远。

岑乙问：“那岛多大？你经常去吗？”

中年男子说：“据说不大，我没有去过。”

岑乙问：“这么近，为什么不去？”

中年男子说：“上这岛很麻烦，我们陈家卫的船，要经过戚门壕的海道才能出海，但陈、戚两个家族是世仇。因此，总是要等很久。”

岑乙告诉他，自己要上岛，看一个朋友，但不知道在不在。

又问："如果要在海边住一阵，等上岛的时机，可住在哪里？"

中年男子立即说："住我们村子里。由于来往商人不少，有几家很好的旅馆。"

于是，岑乙仔仔细细地问了从这里到陈家卫去的路途，连可能遇到的麻烦都一一问到了。

聊完天，天开始放晴，他们从两个方向上路。

背一顶草帽，夹一把纸伞，挎一个包袱，这是两人差不多的装束。但岑乙穿的是紫色衣服，还比较新，看着就是一个有身份的年轻人。中年男子的个子比岑乙矮，黑褐色的衣服显得比较陈旧。

在江南河网地带，路上很难拉车。条条河流又宽宽窄窄，坐船也行不远。因此，那时大家出门，多是步行。

岑乙个儿高，走得比较快。

根据那位中年男子的指点，他这次走的路线，要经过很多大山。天目山、四明山、天台山、括苍山、雁荡山，风景之美，远超想象。这些山，全在浙江境内。没来浙江时，总以为这里是秀山曲径、小桥流水，没想到还有那么多险峻，那么多雄伟。这一路下来，比在苏北平原上旅行，劳累多了。

这些山当时都还没有好好开发，抵达的人很少。岑乙走在狭窄的山路上，常常半天见不到一个人。偶尔见到，大多也是樵夫和药农。比之于作为中国五大地标的"五岳"，也就是泰山、恒山、嵩山、华山、衡山，比之于历代皇帝一次次对名山举行的"封禅奠仪"，眼前这些山，基本上处于隐潜状态、边缘状态、蒙面状态、躲避状态、寡闻状态。但是，它们居然如此惊心动魄。

“大美半隐”。这四个字，包含两种情况：一是天下大美，至少有一半，人们看不到；二是即使看到了，至少有一半，人们难领略。其实不止大美，大善也是这样。因此真正的大善大美，总在视听之外。

总算把大善大美牵拉给人世的，是一条条小径，就像这狭窄的山路。岑乙又联想到了从赵府到梓园的地道。小径、山路、地道，也就是维系住大善大美的小丝小缕，无形无迹却又密密麻麻，终于让人世不至坠入蛮荒。

想到这里，岑乙突然停步。刚才想到什么了？以小丝小缕维系大善大美？这可是一个不错的感悟。

在嘴里喃喃地重复了两遍，他又失声笑了。“小丝”？这两个字，不正是赵南那个助手的小名吗？或许就是这么来的？小丝至今还没有见过，什么时候见到，可要问一问。

当然，这只是牵强联想，不问也罢。眼前又出现高山了，应该已经到了括苍山。

3

以后几天，在翻越括苍山的时候，那番偶尔产生的感悟，一直挥之不去。“以小丝小缕维系大善大美”，这也是一切小人物都能承担的责任。

我们都是小人物，岑乙想，但对大善大美，可以守护，可以照应，可以朝拜。结果，也有可能成为大善大美的一部分，就像这狭窄的山路，已融身于山。由此，又想到了那位小丝。是啊，赵南出神入化的跨界成就，缥缈无际的云中漫游，都离不开她。赵南最后只是为了父亲，才硬心割舍。可能赵南已有预料，割舍了小丝，也就没有了她。小丝不能拒绝她的命令，但她知道事情的严重。

自己对小丝的唯一感受，就是那天隔壁闻到的葱油拌面的香气。

小丝还在浏河口吗？她一定没有找到赵南，如果找到了，一定会回到扬州。两个女子，怎么都消失了呢？

岑乙这次去武运岛，其实在心底不抱多少希望。但是，这是赵弼臣留给邹阁老的唯一地名，与赵南有关，因此必须寻访。

与赵南有关，其实也就是与她的贸易有关。那么远，她本人应该没有去过。岑乙在半路上也曾经飘过一个闪念：她这次经历了扬州的种种荒诞，会不会决定另选生活方式，到岛上隐居？

岑乙想，这个小岛，至少她曾经反复提起，就凭这一点，也值得代她一来。对，代她一来！

又走了两天，产生一种预感，那位陈姓中年男子所说的陈家卫和戚门壕，应该不远了。

就在他东张西望间，走上了一座小竹桥。

这部小说开头“引子”的情节，也就出现了。

他，岑乙，就是那个紫衣架。

现在，就要接着“引子”的情节，继续说下去了，直达终点。

第五章

1

陈家卫有很高的青石围墙。大门是一个白石牌楼，牌楼边上有两间卫屋。一进大门，就感到一种肃穆的气象。

进大门后不远处，见到一个旅馆。不大，但房型、布置都很不错。正如那位凉亭相遇的先生所说,这里的旅馆很见等级。

岑乙一进门,就有一个门役拉了一下牵铃的绳。“当”的一响，有一位老者从藤椅中站起，向岑乙走来。门役轻声介绍了一句：“这位是我们旅馆的总柜伯。”

“总柜伯”，大概相当于后来的“大堂总经理”吧，上下打量了一下岑乙。岑乙落水上岸后已经走了不少路，衣服不再是水淋淋的了，但还是看得出，潮黏黏地浸过水。

总柜伯说:“这位先生，这一带是海防，官府规定，住旅馆要登记。你如果要住，可以先到后间换一身衣服。我们这儿渡海客人多，衣服容易沾水，一直准备着一些可换的甲板衫。换好了，再登记不迟。”

这番话，让岑乙对这位总柜伯另看一眼。刚才还在为湿衣服犯愁呢，居然那么礼貌地解决了。他笑着点头，就到后间换衣服了。

土布的甲板衫很干净，还能闻得出太阳晒过的气味，穿在身上很舒服。岑乙换了衣服出来，看见门廊边一间茶室的方桌上，放着一本毛边纸的登记簿，砚台和笔墨都准备好了。只需填写四项：姓名、籍贯、年龄、职业。

对职业，岑乙犹豫了一下，便随手写了“游士”二字。

“咳,《史记》里的人物！”总柜伯说。

岑乙回头看他，说：“这下我知道你读过多少书了！”

推开簿册、砚台，换上茶壶和杯子，凭着“游士”和《史记》，两人不能不聊一会儿天了。

于是，彼此从头寒暄，自我介绍。

总柜伯问：“你去哪里？住几天？”

岑乙说:“去武运岛。到底要住几天,就看什么时候有船了。”

总柜伯说:“这要等很久，甚至一两个月。一般客人先在旅馆住两天，再到村里找一间加筷屋，住久也省俭。”

“加筷屋？”岑乙听不懂。

总柜伯解释道：“也就是到农家借住，不缴房租只缴饭费。对农家来说，客人来了只是多加了一双筷子。”

“住加筷屋的人多吗？”岑乙问。

“多。渡海船很久才开一次，大家都这样住着，还帮着农家做点事，我们这里把他们叫外客。”总柜伯说。

“外客？这个称呼好，看来我也要做一阵了。”岑乙为总柜伯沏了一杯茶，说:“我没有去过武运岛，听说是最早与外国人做贸易的地方，但现在为什么那么难上？”

“这事要从根子上说。”总柜伯说，“海，与陆地不同，一直没人管。所以总有不速之客来敲门，一种是商人，一种是海盗。中国朝廷只会管陆地，对这些海上的不速之客不知道怎么办，结果就不问青红皂白，一律禁海。但是，海盗哪会在乎你禁不禁？反而变本加厉。真正被禁了的，反倒是商船。商船，一要防官兵，二要防海盗，也就置备了武器，结果也变成了另类海盗。禁海的官兵来征剿，把海边的好事情坏事情一起扫除。过了一阵，朝廷终于发现不能没有海外贸易，又开放海禁了……我这样说，你是不是觉得太绕了？”

“不绕，一点不绕！”岑乙说，“你用几句话，把明代以来海边的麻烦事说得一清二楚。这真是大本事。”

总柜伯听到赞扬，一笑，又说了下去：“这么多的大麻烦，都压在小岛身上了。就说对面这个武运岛吧，一会儿是生意岛，一会儿是倭寇岛，一会儿又是征剿岛，不知道进出过多少财物，断灭过多少人命。征剿过后成了空岛，把死者的家属都赶到我们这里。不久之后死者家属纷纷告发，说征剿军士滥杀了太多无辜岛民，于是朝廷派员核查后又惩处那些军士，逐出编制、就地戮力，因此也留了下来。

“都留在这里了？”岑乙问。

“对。这陈家卫，就集中了被杀岛民的后代;那戚门壕，则集中了被惩军士的后代。”总柜伯说。

“怪不得有那么大的对立。”岑乙说。

“那么久了，双方都还在寨门口立碑，刻下前辈的冤屈，还把历代两村械斗中死亡的族人当作英烈刻在碑上，年年祭祀。”总柜伯说。

说到这里，总柜伯看到旅馆大门口进来三个人，就对岑乙说：“你看，这就是寄住在农家加筷屋里的三个外客，一定有事要帮忙，我去招呼一下。”

他立即站起身来，笑容满面地迎了过去。

岑乙抬头看了一眼，那三个外客，一看就知道不是本地人。为了上武运岛，不知已经等了多少天了，更不知还会等多少天。

2

总柜伯与那三个外客聊了几句，就与他们一起出了大门。岑乙反正没事，就坐在那里喝茶。

顺着窗子看出去，是开阔的沙土和巨大的石块。在石块外面，什么也没有了，只有灰蒙蒙的一派轻雾。海！岑乙心中一抖。

他以前，几次见过长江，够辽阔的了。后来为了寻找赵南到苏州，见过太湖，知道了什么叫浩瀚无垠。但今天见到的这派灰蒙蒙，已经用不上辽阔、浩瀚这些词汇了。如果要用一些句子，那么，它是太古之始、普天之归，它是千秋生死、万般不测。

岑乙站起身来遥望，希望能看到武运岛的影子，没看到。也许，不是这个方向。

耳边传来总柜伯的声音，他回来了。

岑乙转过身来，只听总柜伯在说：“那几个外客又心急了，他们不知道，开船要等戚门壕掷豆公决。”

“掷豆公决？这是怎么回事？”岑乙问。

总柜伯说:“这里到武运岛，虽然不远，但海浅礁多，行船只有一条窄窄的海道，这也是过去倭寇盘踞的天险，一夫当关，万夫莫开。麻烦的是，海道这一边的闸门，在戚门壕。几代传下来的规矩是，我们陈家卫的海船要到武运岛，每次都要由戚门壕的乡亲掷豆公决，过了半数，才能开闸。这是戚门壕可以捏住陈家卫的唯一机会，他们当然不会放过。每一次，总是让这边把肚肠都等痒了。”

岑乙问:“如果是戚门壕自己的船过去,就不用掷豆了吧？”

总柜伯说:“问题是，他们没有渡海船，只有沿海的一些小渔船。造船的工匠，全在陈家卫。”

“那么，如果戚门壕掷豆公决一直通不过，关闸一年，怎么办？”岑乙问。

“这倒是从来没有发生过。一般是，没有新的纠纷，拖一个月；有了新的纠纷，拖两个月。”总柜伯说。

“如果狠心使坏呢？”岑乙问。

总柜伯说:“其实几代下来，已经没有切肤之痛。对立，只是来自老辈的遗训。到了当下，很难再认真。何况，还有外客的劝说。我也算是一个老外客吧，人头又熟，也会出面。刚才那几个外客就希望我这两天再走一次戚门壕。”

岑乙点头，却又突然产生了一个大疑问:“这么一个月、一个月地拖着，武运岛的贸易怎么进行？”

总柜伯笑了，说:“无碍，无碍。武运岛朝西边我们这个方向行船不易，但是岛的东边、北边和南边那些通外洋的码头，却可深水停泊，往来畅通。外国商船到了武运岛，中国商船从福州、宁波过来，完成交易。最大宗的商船，倒是来自你们长江的浏河口。”

“浏河口？”岑乙像被黄蜂蜇了一下，短促地叫了一声。

总柜伯看了他一眼，说：“这不奇怪，一条长江把半个中国都带着了。不要小看浏河口，明朝郑和下西洋，也曾经在那里出发。浏河口在武运岛是个大地名，每个商家都熟悉。”

“浏河口……”岑乙还在沉吟。

总柜伯发现他对浏河口感兴趣，就继续说下去：“浏河口到武运岛的航路上，有几个很凶险的地方，船夫叫‘恶旋煞’，最容易沉船。因此只要天气有异，一些浏河口来的船就半道停泊到了宁波，客商再从陆路赶到这里，等着渡海。刚才找我的那几个外客就是这么来的，与他们一起来的另外几个，住到了戚门壕，成了那里的外客。”

“戚门壕也收外客？”岑乙问。

“收。”总柜伯说，“那里的招待不比这儿差。外客中如果有女人和孩子，一般都到那里。”

女人？浏河口？岑乙突然明白了，为什么守护着赵弼臣先生的小丝，一听浏河口就跳起来走了。她似乎知道浏河口与赵南的关系。难道，她们都从浏河口出海了吗？

他想得走神，却又把眼光投到总柜伯脸上，急切地问：“从浏河口到这里，除了那些‘恶旋煞’，还有没有海盗？”

“怎么没有？很多！”总柜伯肯定地说，“中国的，外国的，倭寇的后代，都有。现在海盗上岸少了，多数是抢掠船只。说来说去，出海处处鬼门关！”

第二天早晨，总柜伯亲自领着岑乙住进了一个农家的加筷屋。说是农家，其实是亦农亦渔，以渔为主。那间加筷屋很整洁，住过的人不少，怪不得总柜伯会特别介绍。

这家主人告诉岑乙，哪几家邻居的加筷屋里也住着等船的外客，无聊时可以一起相聚聊聊。

第一顿中餐很丰盛，看得出主人是用心安排的，与“加筷”的说法很不一样。最让岑乙开胃的是海鲜，有三种小鱼，一种虾，还有一种古铜色的硬壳螺。都是水煮而不是油炒的，入口特别清爽。主人在一边客气地说，没有什么好东西，都是自家小网刚捞的。

吃完饭，岑乙顺着主人的指点到了海边，看到了不远处的戚门壕。围墙比陈家卫的还高，还有两个碉堡。顺着碉堡的方向往前看，是海，海中隐隐约约有一个岛，那应该就是武运岛。

看了好一会儿，岑乙便顺着一道台阶，爬上了陈家卫的围墙，想在上面走一圈。围墙上面很平整，还铺着一些石板，估计是过去抗倭和械斗的年代留下的。岑乙边走边转头看戚门壕和武运岛，似乎升起了一层海雾，武运岛消失了。

走到了围墙的大门口，昨天就是从这里进来的。岑乙找到一道台阶，下到平地上，向大门口的那几方石碑走去。中国文人到任何地方，都会把碑文当作拐杖。

这几方碑文，文句出乎意料地好。上眼就能上口，抑扬顿挫，声情并茂。远年冤情，世代不屈，凭海立誓，以诗为铭，谁读了都会动容。岑乙还注意到，碑文书写，用的是颜体楷书，笔画健硕，如铜铸铁浇。岑乙想，那一定是陈家卫的祖先恭请远地大文人执笔的，现在也成了历史文物。

读完碑文，再上台阶，又来到了围墙上面。岑乙这下是专注地逼视戚门壕了，一动不动。他听说了，戚门壕也有差不多的碑文，同样声情并茂，同样铜铸铁浇。

岑乙站在高处，看着大海边的这两个城堡，产生了很多想法。天下的仇恨，多不真实。往往是各自谋生，各自无奈，各自受命，造成裂隙。各方又必定站在裂隙边沿上，夸张了生死对立。在对立中难免摩擦频生，全都积聚为斑斑铁证，无法后退。于是“文化”进入，谈家族历史，说几代遗命，更以诗词文曲，使之传播。人本来就很脆弱，一旦置身这种仇恨文化，便互监互滋，形成秩序，无人不遵。

不仅眼下的陈家卫、戚门壕、武运岛是这样，就说不久前亲身经历的扬州之劫，又何能找到冤主？

回想起来，那黑衣人罪责最大，但他又负有上峰使命。发令者，亦并非全然恶念。却不知如何阴错阳差，业力交汇，毁及良善，祸及无辜。这中间，连一个像总柜伯这样的“外客”都找不到。结果，各方都在黑暗中挣扎。最可怜的，是女神般的赵南，在黑暗中不知去向。

岑乙看着大海，摇头一叹。

这天下午，他拜访了住在近旁加筷屋里的几位外客，谈得很投机。见面说一句“同是天涯沦落人”，一下子就靠近了。

外客毕竟有外客的眼光，岑乙与那几个外客谈来谈去，都在嘲笑陈家卫和戚门壕，对立得莫名其妙。

岑乙笑着说:“如果我们置身其间，也不清楚了。所以凡是纠结不清的地方，都应该来几个外客。”

大家一听就点头。

岑乙又说:“刚才我在围墙上面想，这次如果还要等一两个月，那就太厌气了，我们外客应当做一些事情。”

“什么事？”大家问。

“还没想好,应当是外客该做的事。我会与总柜伯好好商量一下，然后请诸位天涯沦落人一起帮忙。”岑乙说。

大家说，随时吩咐。

岑乙想了一天，又与总柜伯讨论了半天。在第三天下午，他又把几个外客召集在一起了。

岑乙说：“大家都已经亲身体验，陈家卫家家户户都很好客。从今天起，我想与大家联手做一件大好事。我们每个人挨家挨户去坐坐、谈谈，打听一些事情。我列了一些题目，过一会儿我会一一交代。打听完之后写下来,交给我。懒于文笔的，说给我听，我来记。”

大家反正没事，都点头答应。

3

半个月后，岑乙带着一叠纸，去找了总柜伯。

总柜伯一见就问：“好了？”

岑乙点头回答：“好了。”

事情是半个月前两人就商量好的，要让陈家卫和戚门壕的所有“头面人物”聚会一次。

照理这是不可能的，但总柜伯说，年青一代在心底里谁也不想继续僵持下去了，语气上早有松动，因此不是没有可能。但是为了面子，不能由两方面的任何一方召集，而必须由外客召集。而且，为首的发言人也要选一个“首席外客”。这事，都由总柜伯拉线。

陈家卫的外客发言人，也就是“首席外客”，岑乙自告奋勇。这半个月他让外客挨家挨户打听，是在为自己搜集发言材料。

岑乙当时就与总柜伯商量好了，由于自己的发言中会有陈家卫的不少材料，因此这次聚会应该选在戚门壕。总柜伯前些天已去准备了，找了戚门壕一家比较大的旅馆，让那里的外客都参加，选一个为首的发言人。

这一切，由于都由外客领头，戚门壕的头面人物没有反对。他们只要求总柜伯带话给陈家卫的头面人物：“不要横生枝节。”

总柜伯见岑乙已准备好材料，就问：“三天以后可以吗？”

岑乙说：“可以。还得您费心再去安排一次。”

总柜伯满口答应，用手掸了掸衣襟就出发。他很久以来，没有这么高兴了。

三天就这么过去了。

与预想的不一样，这天并不是风和日丽，而是云翻浪急，海况森严。

岑乙皱着眉头抬头看了一下天，便召集已经站在屋外的一群外客，一同到旅馆接总柜伯。

旅馆门口，已经集中了好几个陈家卫的“头面人物”。与外客加在一起，数了数，一共十四个人，由总柜伯带领，去戚门壕。

在这里，这是一件真正的大事。

十四个人在前面走，在他们后面，很多村民都跟上来了。今天没有农活，天气也不适合打鱼。其实，如果有活儿也停止了，与戚门壕面对面，不是械斗而是商谈，实在是无法想象的场面。昨天听总柜伯一说，大家都睡不着觉了。

现在那么多村民跟在后面，脚步有点凌乱。怕前面的十四个人来阻拦，更怕戚门壕的人来驱逐。

戚门壕也被总柜伯通知了两遍，更是全体警觉。“陈家卫又在搞什么鬼？莫非又要寻事？”

幸好总柜伯立即说明，这次商谈的两位首席，是两村的外客，其他外客也全部参与。这一下，戚门壕的村民就无话了。他们对外客一直很友好，更重要的是，两个村，谁也不想在外客前丢脸，这也是一种比赛。

照总柜伯的安排，戚门壕派出的人员与陈家卫差不多，一个“首席外客”，带着目前在村里的一群外客出场，也由戚门壕的几个头面人物陪同。后面，挤着一些好奇的村民。但这些村民的数量，没有陈家卫跟来的村民多。这是因为，戚门壕的村民感到自己是主方，可以在自家窗口看动静，没有必要挤在外面。

但是，几个眼尖的戚门壕村民远远看到陈家卫密密麻麻的人群，慌了，立即通知各家各户。这情景，有点像前辈描述过的集体械斗，因此全体惊悚。戚门壕，从大门到旅馆前的场地，很快就站满了人。

岑乙和总柜伯走进大门一见这个情景，心里一惊，便不由自主地叉开双手让后面停步。

很快,岑乙知道该怎么办了。他立即叫几个外客站在前排，自己则大声说:“我们是各地来的外客，今天来拜访戚门壕。现在我们先自报家门：我姓岑，江苏泰州人，今年二十五岁。”

跟着岑乙，其他外客也一一报开了：

“我姓周，浙江金华人，今年三十一岁。”

“我姓柳，江西吉安人，今年四十岁。”

“我姓胡，山东济南人，今年二十七岁。”

“我姓虞，浙江嘉兴人，今年二十三岁。”

“我姓曹，福建安溪人，今年二十九岁。”

“我姓金，韩国人，在南京做生意，今年三十五岁。”

村民一听是韩国人，轻呼了几声。

最后一个外客比较老，说话有点含糊不清。

“我姓宋，来得远，广东惠州人，今年五十五岁。”

村民笑了，为他的含糊不清。

这一来，气氛缓和了，而且一下子产生了东西南北的大气象。

岑乙接着又大声说:“我们这些外客，有的是步行来的，有的是船行遇险，半道上靠岸再从陆地到这儿的。我知道戚门壕也有一批外客，台上已经坐了好几位，那就不要一一介绍了。

因为你们是主人，只有客人才要门外报名。”

村民又笑了，用笑声表达了接受和欢迎。

这时总柜伯的声音响起了：“戚门壕的外客，名字不报了，也要站到前面来迎接呀！”

其实，那些外客已经站到了前面。

这一着很有效，整个活动的主角进一步确定为两村外客，也就不存在丝毫对立和警惕了。

总柜伯对岑乙说：“本来安排在旅馆的大厅里商谈，现在挤出来那么多人，只能改地方了。就改在这里，露地场地，站得下。主桌就摆在那个回廊上，就像戏台，让两村的首席外客唱戏。”

说着，他就指派旅馆的仆佣布置主桌，又在主桌边上放两排长凳，让其他外客坐。长廊下面，面对主桌，又放了一排长凳，让两村的头面人物坐。

村民，就站在第一排长凳后面。

4

岑乙已经坐在主桌一边。他边上，坐着陈家卫的其他外客。

他对面，戚门壕的首席外客还没有入座，其他外客倒已经坐在长凳上了。他们看着首席的空位掩口而笑，好像有一个特别的事情就要发生。

等了好一会儿，对方首席外客还没有出来。岑乙抬头望了一下，又看了一眼坐在第一排的总柜伯。这动作的意思很明白，连戚门壕的村民也感到抱歉了。

特别的事终于发生。旅馆的仆佣又拿上来两方凳子，放在首席外客的空位两边。这就是说，与岑乙直接面对的，不是一个人，而是三个人。

这让岑乙感到不悦。总柜伯也站起身来要交涉，但他又坐下了，因为不知道该和谁交涉。

就在这时，三个身穿海仓蓝花布的年轻女人出现在长廊上，朝主桌走来。

岑乙看到是三个女人，便慌忙地把目光移向早就坐在那里的几位外客，显然是在无声地询问怎么回事。外客中有一位站起来笑着说："对不起，我们选的首席外客是女的。"

岑乙吃了一惊，便说："女的就女的吧，那又怎么是三个？"

那位外客说："首席还只是一个，但她怕羞，挤在三个人中间。那两个只是长得像，来陪伴的。"

三个年轻女人已经落座，大家一看，长得并不像，但由于衣着、年龄相仿，远远看去倒是差不多。

不知是哪个年轻女人开的头，朝着岑乙抬手说声"请吧"，其他两个女人也做出了同样的手势，发出了同样的声音。

这实在有点好笑，但岑乙却不能再有微词。人家已经说了，首席外客仍然是一人，而不是三人。出三人，是性别上的羞怯，那还有什么话可说呢？

岑乙点了一下头，又向边上几个外客点了一下头，表示自己要正式发言了。

岑乙知道，自己今天是要对两个村的祖先发出异议，非同小可。因此，费尽心思找了一个小巧的入口。

他开始说了——

"乡亲们！我们外客，初来乍到，总会看看这里的石碑。石碑上刻了很多过去的伤心事。我想，一定还漏了更多的动心事，只是由于碑小，没刻上。这半个月，我们都在等船，没事干，就走访了陈家卫的各家各户，让他们回忆两村之间的动心事。这些动心事平日不说，藏在心底，那就更珍贵了。现在我这里有几张纸，记下了陈家卫村民所说的动心事，我读几条。

"先读远一点的。从陈家卫家藏的七本宗谱附记中查到，在明朝抗击倭寇和各种海盗的那些年，戚门壕和陈家卫两村并肩战斗、一起牺牲的同胞，有九十一人。戚门壕救得陈家卫的民众二十三人，陈家卫救得戚门壕的民众十九人。这些人的名字，七本宗谱中都有记载。

"再读近的。近二十年，陈家卫的村民设置的扎岸渔网，被水冲到西边后由戚门壕村民捡得送回原来堤岸的，有十七次。地点是小龙头、水壶口、野猫湾、大毛岗……

"近十年来，陈家卫的孩子在田埂上走路跌落水田，被戚门壕的好心人扶起送上大路的，有八次。那些孩子现在也都长大了，是陈有奇、陈小福、陈土根、陈阿二、陈启五……

"三年前，陈家卫的一位七旬老太太陈汪氏在庙河边中暑昏倒，那个背她到村口石凳上坐下，又让她喝水的好人是谁？到今天还不知道，但可以肯定，是戚门壕人。"

……

这样的材料，岑乙一条条读下去，全场安静。渐渐，安静又变成了肃静，回旋起一种能够让人抬头的气流。

这时，天色有点阴暗，风更大了。每个村民的头发都被吹拂起来，显得有点乱。他们也不伸手抚发，任风舞弄。好像他们熨帖多年的思绪也鼓动起来了，激烈翻腾。

在风中，岑乙又放重语调，缓缓地说:“我才来几天，为什么能说得出那么多好事？全是陈家卫村民一桩桩、一件件告诉我们外客的。可见，他们一直放在心底，没有忘记。”

“我今天来，是想问问这里的外客：有没有可能两村联合，再立几方石碑，把这些好事都刻上去？”

说到这里，岑乙看着对面的三位年轻女性，说:“请你们中的首席外客指教。”

全场目光都集中到了那三位年轻女性身上，中间一位悄然站了起来。她说:“我就是首席外客，本来想混在两位姐妹中间看一会儿。但刚才这位先生，说得让我感动，我必须早一点站出来面对你。你公布的一些调查材料，看来平常，但在刀锋口上说出，化解了人心。我承诺，刻新碑的全部费用，由我一人支付。与此同时，我还有一个重要建议。”

一位年轻女子，能在大庭广众之中说得那么流畅，已经把全场镇住，更何况，她突然停顿了。大家等着她说下去，所有的人都抬着头，一点儿声音也没有。

她终于说出了那个建议。

她说:“今天戚门壕的绝大多数村民，都在这里集合了。我建议，干脆，当场来一次掷豆公决。看新一班海轮，能不能立即开闸。”

她先看了看坐在第一排的几位戚门壕头面人物，然后再抬头用目光横扫了一遍全场村民，说：“如果没有异议，那就是赞成。我想，现在就可以掷豆了。各位老大，可以吗？”

几位头面人物端坐着，没有表情。其中一位，轻轻地点了点头。她随即说一声：“谢谢！”

戚门壕对于掷豆公决，很有经验。很快有人搬来一个长桌，另外两个人去拿掷豆用的陶盆、藤筐和豆罐了，而村民们则已经排起了队。

陶盆、藤筐和豆罐很快取来了，放在长桌上。四个点数人，也已经站在一边。

没有人指挥，掷豆开始了。

陶盆是褐色的，圆肚，小口。陶盆边上，是一个广口的藤编小筐。村民从一个黑色豆罐中取一颗豆，然后翻掌让点数人员看清只拿了一颗，点数人员一点头，村民就掷豆了。

掷入陶盆的，是赞成；掷入藤筐的，是反对。掷入陶盆有清脆的声音，掷入藤筐则没有声音。因此，在还没有点数的时候，光凭声音，大家都能估算出结果。

今天，陶盆里的清脆声不绝于耳。

过不久，一个年长的头面人物说：“过半数了，不用再投了。”

另一位头面人物说：“让大家投完吧，也算表个心意。”

于是，清脆的“得律、得律”声继续在响下去。

最后，点数人举起藤筐，说：“不同意的是十二颗。现在把这十二颗拿走，我再把陶盆里的豆子倒在这里，点数。”

陶盆里的豆子哗啦一声倒在藤筐里了。四个点数人伸手进筐，各划一角数。他们数得很快，轻声报出各自的数字，加了一遍，又校核了一遍。最后，其中一个上前一步，朗声说:“二百九十二颗。”

总柜伯立即宣布：“明天天气还是不好，后天一早，开闸放船！”

全场欢跃。

刚才还坐着的两方外客和头面人物，全都站起身来。

岑乙看着对面穿着海仓蓝花布的首席外客说:“你真是快刀斩乱麻，用一个行动结束了几百年！”

他这时才发现，这位首席外客的长相，居然那么端正。

这位首席外客回答道:“还不是因为你的演讲，选了一个最聪明的突破口，句句人心！”

这时，总柜伯走了过来，说:“你们两个，实在了不起，真可谓‘千年雪山半夕消’。你们什么时候从岛上回来,能不能再主持一次掷豆公决，内容是:取消还是保留掷豆公决。我保证，取消。”

“你老人家主持吧！”两人异口同声。

“不，必须你们来主持。”总柜伯说，“从来没见过像你们这样，那么有道义，又那么有派头！”

“有派头吗？”男、女两人又对视了一下，互问、自问，然后一起笑了起来。

5

第二天下午，岑乙又去了戚门壕。

他很感谢那里的村民，由于本心善良，使自己昨天的一番说辞产生了那么大的扭转作用。陈家卫的围墙他已经绕圈走了一遍，今天他想好好看看戚门壕。当然，心中还暗暗存了一个念头，很想偶遇那位长相端正的首席外客。当然明天也会在海船上遇到，但那时人太多了。

才走到戚门壕的大门口，就有一个少年叫喊起来："首席外客，你太棒了，昨天晚上戚门壕家家都在夸你！你来有事？"

岑乙说："就想参观一下戚门壕。"

少年说："我陪你！"

戚门壕的建筑制式，更有军防气息。垣障、亭燧、坞壁的遗迹，是陈家卫所没有的。但这一些都已经颓零，有的已经变成了衰草间的砖墟和泥墩。村里的路，石板为多。房舍也大多由岩石砌成，而陈家卫主要是用砖木。总之，戚门壕更有一种"不安全中的安全感"。

戚门壕可看的东西，比陈家卫多，一圈绕下来，已经是薄暮时分。应该回陈家卫了,少年领着岑乙穿过村中一条中心路，朝大门口走去。

但就在这时，如雷击一般，岑乙突然站住，目光呆滞，把少年吓了一跳。

原来，一股晚饭的炊香正飘过来，而中间，最浓烈的，居然是葱油香！

葱油拌面，海叶阁院子东墙外传来的香味，唯一的、不可复制的葱油拌面香味，居然在这里飘出，这怎么可能？

一种特殊的气味会带出无限记忆。小火，细葱，久熬，冷却，满街气味都归它，家家户户吞口水……三位老学者一讲葱油拌面就得意忘形，只因他们见到过赵南助手的示范。这个助手，就是小丝。

小丝？难道小丝在这里？

几乎是异想天开，但葱油拌面是最强的证据。

岑乙一把抓过少年的手，问："这种葱油的气味，你们这里一直有吗？"

少年说："以前没有，是那个姐姐带来的，只有她会做。"

"姐姐？"岑乙问。

"就是昨天坐在你对面的那位首席外客啊。"少年说。

"是她？她就是小丝？"岑乙一下子拧不过来。他立即又追问少年，"她是从哪里来的？"

少年皱起眉头想得有点艰难："听说是宁波。不，是她的海船为了避开恶旋煞，靠岸宁波。船的出发地，好像是一个河口。"

"浏河口？"岑乙着急地问。

"对，浏河口，大人们经常说起这个地名。"少年说。

岑乙的手抓住了少年的肩膀，又问："还有别的女人和她在一起吗？"

他口中的“别的女人”，当然是指赵南。

“没有，就她一个人，明天也去武运岛。”少年说。

这么说，小丝将与自己一起，上岛找赵南。不管怎么说，这是最后一站了。岑乙想。

少年问：“现在你想不想去找她？我领路。”

“不。”岑乙说。因为她究竟是不是小丝，还不能完全肯定。

葱油拌面虽然是最强的证据，但人世茫茫，很难说从浏河口上船的另一个人，一定做不出那样的风味。万一认错，有点对不起小丝。

6

海道的闸口，有两扇高出水面一尺的铸铁闸门。应该很重吧，由两条粗麻绳一直连到岸上的一台硬木的转盘机。两个村民光着膀子在摇动竖着的木轮，摇了十几圈，铸铁闸门开了。

岑乙和两村所有的外客，都踏过一条跳板，上了一艘已经显得很旧的尖底海沙船。船不大，十几个人带着行李上去，再加上已经在上面的四个船夫，差不多已经满了。

外客们都很兴奋，把预想的等待时间一笔勾销了，真痛快。他们七嘴八舌地议论道，根据前天下午的气氛，下次在这里渡海可能不用等了。

岑乙一眼就看到了长相端正的首席外客。她今天中性打扮，一身普通渔民的衣衫，还用一条布巾扎着头发，在人群中并不显眼。她站在紧靠船头的第一排，大方地与旁边的外客聊天。

船开出后不久，岑乙在后方用不响的声音叫了一声："小丝！"

谁也没有注意这短促、轻微的叫声，但那位长相端正的首席代表却浑身一抖，随口漫应一声，又伸手捂嘴，猛地转过身来，看是谁在叫她。

她看到的，是最后一排岑乙期待的眼睛。

她装得没事一样，低下头，慢慢地挤身到后面。

由于前天下午的共同主持，算是熟人了，她以微笑向岑乙打了一个招呼，但脸色立即凝住了，问："你怎么……"

全句是"你怎么知道我叫小丝"，但她没有说完。

岑乙抬手，把她让到船尾的栏杆转角处，说："我是赵府海叶阁的岑乙，你应该听到过。"

不错，在赵弼臣先生的病榻前听到过，但没见过。她又用半句提问："你此行……"

岑乙近乎耳语般地说："与你一样，找赵南，这是最后一站。"

"你怎么知道武运岛的？"她又问。

"是赵弼臣先生告诉邹阁老的。"岑乙答道。

"那你怎么一下子认出我的？"她问这个问题时，眉毛挑动了一下。

"葱油拌面的气味。"岑乙说。

她终于笑了，说："那好，上岛细说。"

"对，上岛细说。"岑乙点头。

7

这个岛，真的很漂亮。

戚门壕那边的海滩是灰黄色的，而这里的海滩却是一片净白。白沙并不太细，却亮得让人眯眼，中间又星星斑斑地散落着很多贝壳、珊瑚、海螺。有几处低矮带刺的灌木丛，夹着一些小花，不知叫什么。

最引人注意的，是一截截形体不一的“沉船木”，静静地躺在白沙上面。不知道来自哪个朝代的海难，也不知道什么时候漂上岸来的。

看了这么多沉船木，很容易憬悟，天下一切凶吉福祸，迟早都会遗落成景观和器物，让人观赏。这有点残酷，却只能超脱。

岛上房子不少，住着很多外国商人和中国商人。由于台风来得频繁，房子都不高，原石原木，不作漆髹。

为了谈生意，按照外国人的方式，都不上门拜访，只在几个公共场所喝茶、喝咖啡、喝酒。这种公共场所，当时在岛上统称茶寮。

岑乙和小丝，上岛后先在全岛急走了好几天。岛不大，半天就能绕遍，急走几天，就是绕了很多圈。几乎所有的住房都打听了，连所有的山洞也都已抵达。与预想的一样，没有赵南的任何踪迹。

本来，出发时就知道会是这样，但还必须来，因为这是最后一缕猜想断灭的终点。真正的有心人，怎么能不来终点呢？应该亲自到达，祭祀这断灭。

小丝比岑乙更相信，赵南会登上浏河口的海船。至于海船遇到了什么，是海难？是海盗？不知道。岑乙只要作任何一种推测，小丝都会举起手指阻止。小丝说，任何人都有最脆弱的软肋，她知道赵南会遭遇灾难，但拒绝想象，更拒绝描述。

他们两个，后来几天都坐在茶寮里。似乎，话已经讲完，但有一句，没一句，还是不绝如缕。

有时起身，在浪边走走。但去得最多的，还是那个山洞。

山洞入口上方，隐隐约约刻着“静海王窟”四个字。由此相信，王直确实到过。因为岑乙在查阅史料时知道，王直自封为“净海王”。

和珅、黑衣人他们追寻了多少年王直的踪迹，这儿倒是真正的踪迹了。

可以让人眼睛一亮的，是山洞深处的石壁上，刻着一首诗。从文句看，似乎是王直被杀后他的门徒对他的悼念。诗不算好，却是一般文人写不出来的：

五峰起步漫天走，
徽州九州复杭州。
万斛海水万般冤，
无尽赤金无处流。

“五峰”是王直的号，大家都知道。徽州出生，九州建国，杭州被杀，以三个地名概括了生平。为何还有“万般冤”？因为王直一直宣称，如何定性自己的行为，看朝廷政策是实行海通，还是海禁。“通则为商，禁则为寇”。他还宣称，倘若朝廷不杀，九州诸多岛屿，可以并入大明王朝。

最后一句中的“赤金”，是形容他这个人，还是实指财富？如果和珅、黑衣人读到这句，不知会如何抓身挠腮，寝食不安。但岑乙相信，那只是写诗的人在悲叹，他们的队伍中有很多赤金般的好汉，却找不到归宿。

“本来，好汉与强盗，也很难分得清界限吧？”小丝说。

“确实很难分。但有一条底线，看伤害无辜百姓的数量。王直一伙，伤害太多。”岑乙说。

小丝点头。

他们两人最感兴趣的，不是诗，是附题在诗后的四个字：“题五蕴岛”。

“五蕴岛”？原来大家都说“武运岛”只是同音，从头就搞错了？咳，这就没有丝毫倭寇气息了，是五蕴岛！

不管搞错没搞错，叫五蕴岛，实在是再好不过。

“你给我解释一下。”小丝说。

“在佛学中，五蕴，指人间种种蕴集。世上很多强人，都觉得自己蕴涵强大，连通各方。王直是这样，和珅他们也是这样。结果呢？佛说，五蕴皆空，都空了。这个岛，就是见证。”岑乙说。

“五蕴皆空，是不是有点悲哀？”小丝问。

“不悲哀。空了，就有了这番美景，这般安静，就有了聊天的我们。所以，空是至悟。这岛叫五蕴岛，也就是空岛，至悟之岛。”岑乙说。

小丝好一会儿不说话。

岑乙问：“你在想什么？”

小丝说：“我想，赵南虽然不在岛上，却一定入了空境。她此刻所在，不管在何方，在天上，在凡间，也都是空岛。”

岑乙赞叹道：“说得太好了！那就异地同岛吧，我们不走了，与她同在。”

小丝又转身看了看岛的几个方向，说一声：“好美的终点！”

8

这天傍晚，岑乙和小丝又来到那个刻名为“静海王窟”的石洞口。小丝一直认为，在薄暮时分，那里的图景最美丽。夕阳的侧光映衬着石坡上的树丛，海鸥成群结队地在岚气间出没。树丛间有一条小小的石阶道通向海边的小码头。这小码头停泊不了大船，只有几只通向周边小岛的舢舨横在那里。如果不看大海，这个小码头很有内地水乡“野渡无人舟自横”的风味。

岑乙又进了那个石洞，小丝却站在洞口，舒展着腰身四下眺望。她看到，有五六个男子，穿着一色的葛麻服，戴着一色的大草帽，正要从那条小石阶道下山。显然，是要下到小码头上舢舨，去外岛。这葛麻和草帽的颜色，与周围的景色太匹配了，几乎成了宋代郭熙和李唐的绢本画。

但小丝一下子从宋代绢本画里跳出来了，因为在那队穿葛麻服的男子中，最后一个正扭头看她。那人年岁已经不小，但目光如炬，盯着小丝不放。小丝像是被一种玄秘之力击中了，霎时一震。

那个男人也震住了，目不转睛。

“这些人好奇怪！”小丝背后传来岑乙的声音。岑乙看完石洞出来了，发现小丝正在注视着这一队葛麻和草帽。

小丝发现，那个盯着自己看的男人一见岑乙，简直以迅雷不及掩耳之势，拉过草帽遮住了脸，立即追上一步，混身在那队人中间。

“是啊，这些人好奇怪。”小丝附和着岑乙说，“不知道从哪里来，到哪里去。”

眼前只知道，他们是上舢舨，去外岛。

小丝在山坡上看了他们很久。

9

岑乙和小丝自从上岛之后，与同船来的那么多外客一起，下榻在一家叫“巨石商栈”的旅馆里。叫这个名字很自然，因为背后正好有一块小山般的巨石，旅客一看，产生一种有依有靠的安全感。巨石又把海风阻挡了一下，因此在这个旅馆的院子里挂晒衣被，不会像海岛上的其他地方，被风吹得乱七八糟。

前两天在陈家卫和戚门壕时，天气一直不好，潮潮的衣物都捂出味道来了，所以外客们住下的第一件事，就是洗晒衣物。旅馆雇了七八个洗衣妇，交给她们就可以了。上岛以来，天气都很好，每个客舍都撑起了晾衣杆，远远一看，色彩齐备，大小不一，像是到了一个制衣厂。

岑乙和小丝相邻而居，是两所房舍的对窗，中间隔着一条窄窄的露天走道。每天结伴到岛上绕圈前，岑乙总会先用手指敲敲小丝的百叶木窗，小丝一听就会快速推门出来。

这天上午出门前，小丝交给岑乙一个布袋，叫他把要洗的衣服放在里边。她自己手上拎着的布袋，已经放满。等岑乙放好，两人就一起到了洗衣房，把两个布袋交给洗衣妇，又指点她们晾晒在什么地方。岑乙抬头一看，今天阳光灿烂，既是洗衣服的好时候，更是游玩的好时候。于是，他们经人指点，一起去了靠近东码头的一个老城堡。

这个老城堡据说由王直的养子毛海峰建造，后来却成了朝廷官兵的“剿寇所哨”。一色以岩石砌成，有两层，再加一个地窖。地窖很大，分很多间，其实是地牢。现在上岛的外国商人，最喜欢在这个老城堡里逗留。因此，一楼摆满了咖啡座，往往座无虚席。二楼依窗隔出六个房间，算是城堡旅馆，收费颇高。但中国商人却觉得那里杀伐之气太重，很少光顾。

岑乙和小丝把老城堡当作一个历史文物，看得很仔细，还在那里用了餐。

直到傍晚，才回“巨石商栈”。但是，当他们走到商栈的大门口，却站住了。首先是岑乙站住的，小丝见他站住，便顺着他的目光，寻找站住的理由。

岑乙的目光，集中在住所门外的两排晾衣架上。他们上午送去洗的衣服，全都晒在那里，早就干了，却还在飘飘洒洒地舞弄着斜阳。

小丝感到有点奇怪，岑乙对这些洗晒的衣服，为什么看得如此专注？

正想问，岑乙回过头来看着小丝，又用手一指，问：“这排衣服，全是你的？”

小丝说：“是我的。”

“你过来！”岑乙急急地招呼小丝，自己则快步向晾衣杆走去。到了晾衣杆那儿，他用手捏住一件小衫的一角，问：“这也是你的？”

“当然是我的，”小丝说，“怎么啦？”

岑乙又跨出几步来到晾晒自己衣服的杆子下，撩起一件长长的衣服，问：“这件你还记得吗？”

小丝有点糊涂了，但似乎又想起了什么。

岑乙突然变得很激动，对小丝说：“这件紫衣服掉到水里了，那件灰衫子来救，一救，灰衫子也浸在水里了。一紫一灰，撞在一起，又一起挣扎。最后，一紫一灰都上岸了，但紫的却找不到灰的了……”

小丝一听，直眼看了岑乙一会儿，很快就笑了，问：“居然是你？这也太巧了吧！”

岑乙说：“不是太巧，是九天之上的安排。你看，今天只是晾晒衣服，洗衣妇也偏偏把这两件晾得最近，风一吹，一紫一灰，舞动翻转，又是那天河里的景象。这难道只是巧合？”

小丝说：“九天之上的安排？你是指……”

岑乙很郑重地说：“一个我们都在找的人，让我们互相找到！”

小丝反问似的重复了一遍：“一个我们都在找的人，让我们互相找到？”

刹那，两人都不讲话了。他们又提到了赵南，但这次，分明是说赵南在九天之上安排他们相遇。此间意涵，不言而喻。他们都知道，一个重大的决定已不可避免，但似乎还缺少应有的准备。于是，他们各自低头，回到了自己的房间。

第六章

1

历尽磨难走到了一起，为了追寻走到了一起，穿过山海走到了一起，走到了路的尽头，走到了一个小岛，走到了别无选择，走到了鼻尖快要碰到鼻尖，却猛然发现，彼此并不了解。

岑乙和小丝互相之间的约略了解，都是一些奇事。凡奇事，能让人惊叹和想象，却未必能长久相处。对于日常生活中的对方，他们几乎一无所知。

因此，鼻尖快要碰到鼻尖的那一刻，两个鼻尖之间的那一点最短的距离，突然变成了云雾飘渺的峡谷。

这峡谷，两人同时感受到了，因此，第二天没有相约出门。小丝只在窗外说一声："有点累，今天想休息一下。"岑乙立即感应，说："好"。

如果晚一步，应该是他到她窗外先说，她再说"好"。一样，都心照不宣。

两人各自在屋子里想，是啊，连家乡籍贯还没有问过呢，连父母兄弟的情况还没有问过呢，连为何至今孤身的原因还没有问过呢。果然，满眼云雾飘渺。

相比之下，小丝比岑乙更加神秘。

岑乙的经历，大致能在一个时辰内基本说清。本来受黑衣人何求指派进海叶阁那一段，有点浑浊，现在也能够说明白了。

进海叶阁之后的事情，很多人都看到，并不复杂。

小丝就不一样了。且不说赵南的多重传奇都离不开她，只说她自己，又是从何而来？她是什么出身？怎么会如此精通变身、掩护、匿踪的技术？怎么会如此懂得商场运作、演剧业务和捐款事项？还有，她怎么会如此熟悉烹调门道，做得出香气扑鼻的葱油拌面？……

她的行程，也留下了很多疑问。以前的不说了，只问那次她急急赶到浏河口找赵南，发现了什么痕迹？又怎么不回一下扬州就直接来到了海边？她是怎么过来的？坐船到何处？步行到何处？那次她在竹桥下救岑乙，又是从哪里出发的？

……

想到这些，岑乙发呆了。一个由这么多问题堆积成的女人，自己还敢再走近一步吗？仅仅是问题，还不严重，严重的是问题的答案。不知哪一个问题的哪一个答案，一旦露头，也许就会石破天惊，让人瞠目结舌。

但是，岑乙毕竟是从海叶阁出来的，读过太多的书，知道很多问题的答案比问题简单，更知道很多问题并没有答案。这就像，你看到一幅精妙绝伦的刺绣作品，就会有千百个问题向绣娘提出，如何选线，如何配色，如何锁边，如何埋针，如何转角，如何用褶……绣娘羞涩一笑，只轻声说了三个字："顺着来。"

小丝这个绣娘，或许同样没有那么多设计，也只是一路"顺着来"。

这么一想，岑乙心里又有点轻松。

2

小丝在屋里，倒是没有怎么想岑乙，而是一直回想着石洞口坡道上的葛麻服和草帽。

见过太多太多男人的眼睛。专注的，热辣的，疯魔的，探询的，颓腻的，大半对赵南，小半对自己。赵南的目光不会回应，只定格在或远或近没有对象的真空上，并不冷冽，却让人领略一种不屑一顾的高贵。因此，投给小丝的目光反而多了。

小丝也不会具体回应，但不能像赵南那样高贵，而必须以温和的平视扫描一周。就像浏览过一本本充满了热烈形容词的浅薄书籍，小丝对男人的目光已经读得太多。

正因为如此，她对那目光，那闪动在葛麻服上面、草帽下面的目光，十分惊讶。凭什么，它能让我霎时一震？小丝陷入了吃力的回忆。

应该没有见过，却似乎早就见过。

更惊讶的，不是那目光的过来，而是我把它兜住了，接下了。兜得很深，接得很实，尽管只是在顷刻之间。于是，小丝对自己产生了疑惑。我，怎么啦？

我对这个人，还不可能产生外形上的好感。葛麻服很粗陋，草草地套在身上，也不见腰身。头部，则被草帽遮了大半。我见到的，就是那目光，还有局部脸面上些许惆怅的表情。从脸面看，他已经上了年纪，因此不存在丝毫“一见钟情”的印痕。他，应该是长辈。

是我的长辈吗？父亲早在我出生后不久病故，那会是谁？叔叔？伯伯？舅舅？……

早就想脱口而出又不敢：他，会不会是失散多年、又苦苦寻找过的大哥？

说“大哥”，因为还有二哥。爸爸去世后，家里有母亲、两个哥哥和小丝四人。小丝三岁那年，有一批强人在半夜里入村杀人放火，又封住小丝家的门，扬言要一个不留。母亲牵着二哥躲进屋后河埠头的乌篷船，大哥抱着小丝从东墙的裂口躲进了玉米地，逃到了三里外的表外婆家。强人发现了东墙的裂口举着火把在后面追，大哥对表外婆说：“我家不知得罪了哪个仇家，追杀得那么紧。我还得逃，小妹暂放您这儿，但也要很快送到别的亲戚家，一家家轮转。”

大哥说完，自己就往后山逃走了。

几天后，表外婆把小丝送到了三十里地外的姨夫家。姨夫之后又递送了几家，最后，一位堂伯又把小丝送到苏州的远房婶婶家。

很快传来消息，那夜里妈妈和二哥在乌篷船上已经被害，仇家还在追寻“余下的孽种”。远房婶婶是一个见过世面的聪明人，觉得让小女孩在亲戚间轮转，等于是留下了可追索的踪迹，不是办法。她以极隐蔽的方式收留小丝半年，无意中看到了苏州昆班所属幼童训练园招生的广告，就决定把小丝送去。小女孩到了那里，可以不留姓氏，取个艺名，就会很安全。另外，远房婶婶也是见小丝面容端正、聪明伶俐，正符合昆班招生的条件。

负责招生的昆班教习是一位有舞台经验的中年师傅，果然对小丝赞赏不已。他立即拿出笔来，要做录取登记。

“苏州人吧？”教习问。

远房婶婶一顿，轻轻说了声：“不是这个苏州。”

教习奇怪了：“不是这个苏州，难道还有别的苏州？”

远房婶婶把早就捏在手心的银元压在教习手里，附耳说：“家有不便，请勿细问。”

远房婶婶是一位典型的苏州美女，虽已四十开外，还白皙高挑，眉眼动人。教习哪里经得住她带着香气和热气的耳语，何况又有银元压到了手上，便立即点头，说：“不问籍贯了，艺名我们来起。能不能在登记册上记个姓？”

远房婶婶想，来这里还不是为了隐姓？就说了句：“流浪人间，何姓可记！”

教习为女孩起的艺名就是小丝。但在登记册上的这一栏，却是空白。似乎总得留下一些文字，教习本想写一句自己的评语，又觉得那位美女婶婶的话很能唤起今后的记忆，便潦草地补记了两行小字：“不是这个苏州”；“流浪人间，何姓可记”。

后来，小丝在训练园里一点点长大，教习一见就笑，经常会念叨起那个送她来的美女婶婶。有时还会学着这位女人的苏州腔，夸张地说起念白：“流浪人间，何姓可记。”

远房婶婶有时还会到昆班训练园来看望小丝。小丝的同期学员们听到远房婶婶说话的腔调，果然很像教习模仿的念白，就会笑成一团。

等到小丝长到十二岁，开始懂事了，迫切要想追查造成惨烈家难的起因和元凶，也想知道大哥的下落。她从远房婶婶开始，一家家亲戚追上去，终于知道，那是一场“大乌龙”。

一位白发老人说：“好像是帮会里的内斗，认错了村，闯错了门。”后来，帮会老大还率徒众到早就沦为废墟的小丝家老宅，进香下跪。问是哪个帮会，老人一连说了四五个名号，都只是可能。而且，这四五个帮会，也都已断灭。至于大哥的行踪，小丝一直没有打听到。

这就是当时的中国。天下很多血泊冤案都找不到由头，而且快速被冲洗，被遗忘。唯一留下的痕迹，就是无数流浪者的脚印。

小丝，从幼年开始就流浪在远近亲属之间，直到这个训练园。无依无靠的苦命，使她在应世才干上远远超过同龄女孩，可谓万事不惧，万难不沮。直到十六岁那年，赵南悄悄地到训练园挑选可以同台演出的演员，发现了她。

赵南并不要她同台，而是让她打理一切，成为唯一而全能的助手。

小丝发现，赵南虽然才华惊人却也无依无靠。于是，两个无依无靠的女孩在一起，按照自己调皮而神奇的幻想，造就了一个个无边无沿的传说。

小丝非常迷恋这段时光，可惜一切都结束得太早。怎么，就在这个关口，竟然出现了疑似大哥的依稀目光？

如果真是大哥，那么，无论是他看小丝，还是小丝看他，那种霎时一震，并不是凭借彼此的记忆。分手时，小丝太小，记不住大哥的目光，而大哥也还不能从妹妹稚嫩的脸上想象今日。霎时一震，出自一种血缘本性，出自一种与父母相关的表情秘传。

我多么希望真是你，大哥，但你怎么会是这副模样，又出现在这个海岛？

这是一个无法与别人讨论的话题。唯一有可能讨论的，是岑乙，但现在似乎还没到时候。而且，非常奇怪，那个人见到岑乙后为什么那么快速地用草帽遮脸，快得连岑乙都没有特别注意到他。是他误会了我与岑乙的关系，还是他本来就认识岑乙？

认识，这是不可能的。

3

第二天早晨，小丝在岑乙窗前说了一句："我想一个人在岛上走走。"

岑乙开窗一看，小丝走得很爽利，没有回过头来再招呼一声的意思。

一个人在岛上走走？这听起来很正常，但岑乙又稍稍觉得有点惊讶。照理，就两个人，应该说一下理由。

中午，小丝没有回来。

下午，到黄昏，还是没有回来。

天差不多要黑了，岑乙有点担心，正要到路口看，却看到了她。她一见岑乙，有一种带有抱歉的轻松，问:“一整天都没有出门？”

岑乙没有直接回答，只是问：“到哪里去玩了，那么久？”

小丝一笑，说：“到处走，最长的时间还是在石洞口那边。在山坡上坐着，非常舒心。”

岑乙又问：“要不要过来喝口茶？”

小丝说：“不了。在外面待久了，想早点休息。”

小丝进了自己屋子，轻轻地关上了门。

对小丝的独自外出,岑乙已琢磨了一整天。究竟去看什么，从上午看到下午？岑乙心里咕哝一声:“对这个人，确实还很不了解。”

这天夜里，起风了，还下起了雨。岛上的雨，有一种铺天盖地的恐怖。

清晨，雨停了，鸟声很清脆。岑乙知道，今天不能出门，因为岛上的路大多是泥路，穿着木屐，湿滑难行。

但是，窗外的声音又传来了：“我还要出去走走。”

岑乙打开窗子说：“路不好走，小心。”

只能这么说。她不多讲一句，你也不宜多讲一句。

还是一样，直到天黑了才回来。

岑乙远远听到了木屐沾泥的声音，连忙开窗，看见她正从巨石侧面的树丛中过来。

穿着木屐，走得不快，款款地扭动着身子。这时西边的天光还有残留，清楚地勾出了她的身影。岑乙发现，她的体态实在是美。在脸部相貌上，她算不上顶级眉眼，但身材、体态肯定是一流品级。岑乙突然觉得有些脸红，正是这美丽的身体，在水里，救了我，抱了我。

小丝看到了站在窗口的岑乙，笑一下，站到窗前，解释似的说:“我这个人喜欢独身静坐，那石洞口，坐不厌，坐不腻。”

岑乙说 :“你真是专注，坐定一个点，已经两天了。”

她一笑，点了一下头，进了屋子，关上了门。

“她到底干什么去了呢？”岑乙百思不得其解。难怪赵南一直神龙见首不见尾，所有的行止都隐约迷离。

也许，小丝早已习惯让人“不解”。与她成家，确实麻烦。但是，岑乙虽然这么想，脑中还是挥不去刚才在窗口看到的那种身材和体态。

又听到雨声了。没有昨天晚上那么大，淅淅沥沥地落在屋外宽大的树叶上。

4

其实,小丝一点儿也不想对岑乙玩“隐约迷离”。她只是想去解开自己的一个人生大谜。这个大谜现在还只是一缕虚幻，无法与岑乙讨论。

她是去寻找那道目光，那道在葛麻服上面、草帽下面一闪的目光。如果真是大哥，自己就成了一个有家世的人，那与岑乙面对，就完全是另外一回事了。

她已预感，岑乙应该是自己另一半。然而，自己的这一半要去面对，必须是真实的，完整的。原以为自己是够真实、够完整的了，但自从那目光一闪，就憬悟，自己还没有获得真实和完整。那又怎么能够，拿着不真实、不完整的自己去面对岑乙呢？

她想，我要明白自己是谁，再与他成家。

小丝很想摆脱模糊状态，再努力一把，去追寻那道目光，追寻如烟的大哥，追寻如魔的家史。但要快，我已经感觉到了每天看见岑乙时的不自然。这不自然，很难再延续。

小丝决定，再去三次，等三天，等那道葛麻服上面、草帽下面的目光。

这几天，她一直盯着那条石阶坡道。坡道下的小码头，有时停泊着两三只小舢舨，有时没有。她一直在等待着，什么时候又有一群穿葛麻服的男子乘船再来。理智告诉她，再来一群，也未必有那个人。如果是来游览的，那么，那个人来过一次也就不来了。但是，她有一种企盼，那群人可能不是来游览的。

那条石阶坡道，一直没有人。小码头的舢舨上，也没有人。这真合得上石洞所表述的那个“空”字。

对了，不是“五蕴皆空”吗？我干脆来五次，也就是五天。如果还是等不到，那真是“空”了。

到那时，再考虑怎么对岑乙说。

5

雨半夜就停了。这天早晨，刮起了很大的风。小丝隔窗一看，发现屋前右边一个木棚被吹塌了。这是“巨石商栈”的一个杂物仓库，商栈老板正指挥五六个工人在整修。这五六个工人大概是临时召来的，因为他们都穿着褐色衣褂，与商栈员工平日穿的衣服很不一样。

连木棚都吹塌了，路上肯定不好走，小丝决定今天不出门了。但转念一想，她又到窗口看那几个褐色衣褂的工人，总觉得他们与那天见到的葛麻服队伍有点相似。会不会都是从外岛到本岛来临时打工的？

前些天一直在猜那群人的身份，怎么也猜不着，现在至少出现了一种可能。这个岛算是开发了，邻近小岛上的人来打工非常正常，穿一色的服装，是便于雇主辨认和互相辨认。如果真是这样，那么，今天的大风吹塌的木棚肯定不止眼前这一个，那队葛麻服上岛的机会就大了。

因此，我应该去等，哪怕有大风。为了大哥，不怕大风。

出门时又想，这真是去等大哥吗？我的大哥怎么会成为外岛上的一名临时工？这实在不可思议，但越是不可思议越有好奇。好奇，产生动力。

隔了一条露天走廊的岑乙原来也料想小丝今天可能不会出

门了。不出门，会不会前来一叙？正这么想，却发现小丝还是出门了，只是包着一方头巾。头巾的两个角，在风中猛抖。

这一下岑乙真正不放心了。据他判断，石洞口的海风应该更大。他决定悄悄尾随，一是为了保护，怕她在大风中跌倒；二是为了探知她到底在寻找什么。

在大风中，小丝走得很好。一看就知道，她是一个在不同的气候下走过很多路的人，不是弱不禁风的小姐。

凡是不知道如何在风中走路的人，会把头低得很低，直冲着风走。这会让自己看不清前面的路，而且，风又会把口鼻堵住，造成呼吸困难。小丝则不是，她把右肩冲着风的正锋，侧身往前走。这样，头和腰身可以避风而自由偏动，呼吸完全不成问题。眼睛虽然眯缝着，却还能虚虚地看见四周的一切。

小丝就这样大步往前走着，与风厮磨着的身体，显得更加柔韧窈窕了。她在这种情况不可能回身张望，因此岑乙也不必刻意躲避她的目光，只是靠着路边的大石大树，跟着走。其实他没有小丝那么会走路，学着样子，也走得比较自如了。

终于到了石洞口。与岑乙预想的不同，这儿是一个湾口，海风倒是并不太大。小丝没有进石洞，而是快步走到石阶坡道前，目光直直地看着那坡道。今天小码头里没有舢舨，小丝又顺着码头看前面的海。风那么大，当然没船。

岑乙立即明白了，小丝天天到这里来，并不是看风景，而是看那条坡道，那个码头。这下岑乙想起来了，那次在这里，岑乙从石洞出来，发现小丝正注视着一队穿葛麻服的男人出神，等他们上舢舨，还看了很久。

那就可以猜测，小丝天天上心的，是那队男人。严格说来，是那队男人中的一个。

但在岑乙模糊的记忆中，那队男人所穿的葛麻服很破旧，而他们的步态、神情也疲倦，完全不应该是小丝关注的对象。这，究竟是怎么回事？

风还是那么大，大海泛着白森森的颜色，好像完全没有动静，只是走到海滩边，看到狠狠拍击礁石的巨浪，才让人从视觉上看到了风的力量。这样的海面，是不可能有船的，再等多久也没有用。那风，并没有要休息一下的意思。

因此，小丝很快就往回走了，比前几天早得多。

岑乙在一方巨石阻挡的路口出现了，笑着对小丝说："我怕你风中摔跤，不放心，来接一下。"

小丝又吃惊又感动，却又装得没事，笑着说："你也想救我一下吧？行，这次我虽然没摔跤，但你有救的行动，扯平！"

在大风中，本来两人是有理由挽手前行的，只是这儿的路太窄，一路上又磕磕绊绊，挽不了手。

"巨石商栈"有一间简单的饭堂，就在厨师背后放了三张桌子。岑乙、小丝平日都在这里吃饭，今天回来后小丝让厨师多加了一个菜。

吃完饭，还是各自回房，没有说什么。

岑乙在入睡前决定，趁哪天天气好，一定要到石洞口那里找各种人打听：那队穿葛麻衣的人是什么人？住在哪个外岛上？

小丝则在入睡前决定，再也不到那里等了。天地有缘，如果真是大哥，已经安排得那么近了，一定还能见面。

6

在一个风和日丽的下午，岑乙没有告诉小丝，一个人去了石洞口。他发现，石阶坡道上的下端，那个小码头上，有一只舢舨。

再细看，舢舨上有一个老汉在打盹。

老汉身上套了半截短短的蓑衣。只是半截，而不是一件，岑乙知道，这是南方船工的寻常打扮。即便像今天，天气那么好，用不着蓑衣，也照样套着。这是表示一种职业，让人容易呼叫。

岑乙立即下坡，到了小码头的舢舨边。但是，蓑衣老汉没有醒来。他捡起脚下一块碎石丢向舢舨边的水面，想把蓑衣老汉惊醒。但那声音就像一条小鱼跳出水面一下，老汉连眼都没有睁，只是用手摸了一下溅到脸上的水滴。

岑乙咳嗽了一下，老汉便睁开了眼。

“雇船？到哪个岛？”老汉问。

岑乙递过去三枚铜质的“制钱”，说：“不雇船，只向大爷打听一点事。”

老汉说：“打听事？那用不着铜钱，开开口，不花力气。”

说着把铜钱放回岑乙手上，满脸是笑。老汉已感受到了尊重，觉得这个年轻人真懂事。

岑乙问:“上次我看到有一队穿葛麻、戴草帽的人从这里坐船离开，那是什么人？”

老汉皱着眉头嘀咕着:“穿葛麻，戴草帽，一队人？”很快他就笑了，“哦，那是犯人！”

“犯人？”岑乙感到意外。

“是朝廷流放犯，罪不重，因此不刺脸，不上铐，不入监，只是限定在岛上过日子。他们来，是做点铺路、砌墙的小活儿，早来晚回。”老汉说。

“早来晚回？回到哪里？是什么岛？”岑乙问。

“附近三个小岛，冷獭岛、断勺岛、半井岛，都有。每个岛都有积雨池，不缺淡水，海产是现成的，所以日子过得还算安逸。”蓑衣老汉说。

“旁人能到这几个岛上去玩吗？”岑乙问。

“能。”老汉说，“要不然我怎么在这里等客人呢！”

“犯人不入监，游人一上去，犯人会不会混在游人中间逃出来？”岑乙问。

蓑衣老汉一听就笑了 :“不会。岛上有几个穿青衫的管带，看着他们。但管带看得很松，因为那些人都是小罪，一逃，反而变成了大事，不会那么傻。”

听蓑衣老汉一说，岑乙对那批穿葛麻服的流放犯产生了兴趣。他知道中国历史上有很多知名文人都被贬谪、流放过。说不定，这些小岛上也有几个不错的人？这么一想，又有点靠近小丝寻找的等级了。

岑乙把三枚铜钱又放回到老汉手上，说 :“大爷，一回生，二回熟，我们交个朋友。过几天我想雇你的船，到那三个岛去玩玩。”

蓑衣老汉说：“那我就不客气收下了。你这钱，够去好几回了。”

7

岑乙告别蓑衣老汉后，顺着石阶坡道往上走，又回到了石洞口。他很高兴，心想这下我要与小丝好好做一番游戏了。她背着我一次次到这里来寻找什么，我可以背着她坐着老大爷的舢舨走到她前面去。那三个岛也许有她要寻找的人，我先到那里去一个个混熟了，然后再让她到我这里来搜索，或者求我陪着她搜索，这就太精彩了。

事情做起来有点复杂，而且完全没有把握。尤其是要到三个岛上与那些流放犯一个个混熟，又谈何容易。然而，这是刚刚投入恋爱却还没有得到对方回应的男人都会做的事，那就是，用奇特的方式深入对方最为难的结扣，提前几步解开。如能做到，终身大事已成大半；如不能做到，也能让对方为诚意而心动，把情感大幅度推进。

游戏开始，就要像游戏的模样。第二天一早，天气不错，岑乙到小丝窗前说了一句：“我想一个人在岛上走走。”

这是几天前小丝说的话，同样在窗前，而且一字不差，语气也一样。

他知道小丝会到窗口看，因此也像她那天一样，用一个爽利的姿态离开，没有回过头来再招呼一声的意思。

小丝看不见的是，他脸上，一直笑着。

到了石洞口那里，石阶坡道下面的小码头上，没有舢舨，也没有老汉。

他估计会回来，就进得石洞，东看西看。看一会儿便到石洞口看下面，还是没有舢舨，没有老汉。

上午这样，下午也是这样。直到傍晚，还是这样。

游戏的头，开得不顺利。晚上回到住处，他没怎么声张。小丝的房间窗口闪烁着烛光，在岑乙看来，那是眨着眼睛在调笑。

他没有打招呼，只是在进自己的房间时把门弄得比较响，说明自己回来了。进房后再从窗口看小丝的窗，烛光已经灭了。

原来，那烛光是关心，不是调笑。

次日早晨，岑乙仍然重复几天前的小丝，在她窗下说一声："我还要出去走走。"

本来，那天自己的回答是"路不好走，小心"。但今天是大晴天，路很好走，小丝没有说话。

到了石洞口一看，岑乙笑了。舢舨在，老汉也在。

他快步走下了石阶坡道，蓑衣老汉一见就笑了，问："到哪个岛去玩玩？"

"你定吧，大爷。我三个岛都想看看。"

蓑衣老汉说："一天去不了三个岛。冷獭岛最大，也最远。

獭，水獭的獭，怎么加了个冷字，真是怪名字。近一点的，是断勺岛和半井岛。勺子断了，井只有半个，倒是好记。或者今天先去两个小岛遛遛，以后再去冷獭岛？”

“好。”岑乙点头，随即上了舢舨。蓑衣老汉慢悠悠地划起了桨。

岑乙走过的路不少，但对海还是陌生的。不久前从戚门壕出发过来，乘一艘陈旧的尖底海沙船，那是他平生第一次出海，今天是第二次。上次海沙船上有十几个客人，四个船夫，路也不长，没怎么在意。今天不同了，就一条小舢舨，船上只有蓑衣老汉和自己两人，感觉到一种恐慌。

自己和老汉都坐在舢舨的横条板上，大海高于两脚，就在手边，却又从手边延伸到天际，辽阔到没有把任何人放在眼里。它即便无意中一抖，殒灭了无数生灵，也不会有丝毫感应。此刻，小舢舨薄薄的船底木板下面，就是万丈深渊。

一片木板，一个老汉，就是我今天的全部依靠了，生命实在是琐小到了不值一提。这才感知，陆地上的仇冤格斗、血火成败，全被平实的泥土宠坏了。一宠坏，也就失控了，耍泼了。如果多到大海上来坐坐小舢舨，或许会清醒一点。

岑乙看了一眼老汉，问：“平日上岛来看望流放犯的人多吗？”

蓑衣老汉回答说：“几乎没有。人一流放，老朋友都躲开了。”

岑乙说：“倒也不一定。落难的人更怕见朋友，这一点，他们的朋友都知道。中国的官员和文人，都怕丢脸。”

蓑衣老汉一笑：“其实一点也不丢脸，他们是在享福。”

“享福？”岑乙不解，“你是说流放犯？”

“是啊。吃、住、穿都不愁，全由朝廷管着。干那点小活，也只是个意思，比划比划就成了。这还不是享福？”蓑衣老汉说，“哪像我们船夫，一日停船，全家停食。”

岑乙一听笑了，说：“大爷，你说得很好，真该多劝劝他们。”

“遇到最伤心的，也会劝几句，但他们总是摇头，说我不懂。”蓑衣老汉边说边将下巴仰向前面，“这就是断勺岛，不大，住着一些年老罪轻的流放犯，管得最松。”

岑乙从舢舨上立起身来看断勺岛，确实很小，树丛中有几排陈旧的砖房。

蓑衣老汉问：“要不要我陪你上去。”

岑乙说：“不要，你就在这里等我。”

8

岑乙上岛后，看到几个老人穿着葛麻服、戴着草帽在晾晒竹架小鱼网，又有几个老人在侍弄果树。他们见到岑乙，都含笑点头打招呼，随即又低头干活。岑乙一看便知，这就是早年教养。

没走几步，岑乙看到一长溜石灰墙。只是单立的墙，已经很老旧。石灰墙面泛成了灰黄，脚下又攀上来一些藤茎，有的藤茎已经枯萎，有的还挂着绿叶。

让岑乙停步细看的，是墙上密密层层写着的诗。墙那么长，看来是几代流放犯合编的诗卷。中间一段最旧，两头稍稍新一点，可能是不够写了，逐代加砌的。

细看那些诗，全是古诗。最多的是屈原、陶渊明、杜甫三人的，偶尔加几首陆游的。书写者都不署名，但字写得很好，好到让岑乙吃惊。这是因为，写上去就变成了一场跨代书法比赛，谁都认真了。

岑乙边看边想，中国文人心底都埋着一堆诗，只等无事可做了，一起冒出来，表明自己的文化身份。这儿是流放地，不方便书写自己的诗。写古诗也好，一写出，就坦示出了自己古老的归属。我犯了什么事？不重要；我是谁？这很重要，请看墙。

岑乙慢慢地看完了整堵诗墙，心想，是的，这就是中国文人。其实没有太多真正的个性。有，也归类了，而且归得那么优美，那么斯文。如果海叶阁的三位阁老来了这里，也会这样写古诗。如果自己最早在泰州的业师王举人来了这里，也一样。如果——岑乙有点不情愿地想下去，如果扬州辅仁书院的孙掌门和那批教师来了这里，估计也差不多吧？

在这堵诗墙前，岑乙实在忘记了时间。直到身后响起一个声音，他才惊醒。

“怎么那么久？我还以为出了什么事。”原来是蓑衣老汉。他等的时间，远远超过了预计，就上岸了。

“哦，我确实耽搁了。”岑乙抬头看了看太阳。

蓑衣老汉说:“已经中午了，如果赶到半井岛，还能吃一顿饭。那儿的伙夫王老头，我熟。”

“好啊，真有点饿了。”岑乙又上了舢舨。

蓑衣老汉边划船边说:“三个小岛，饭食算半井岛最好，还便宜。”

“能吃点什么？今天我请你。”岑乙说。

“最好的，是野菜饭团，加一碗炖杂鱼。”蓑衣老汉说。

“野菜饭团、炖杂鱼，一听就好。”岑乙说。

等他们到半井岛，吃饭的时间早就过了。蓑衣老汉夸张地告诉王姓伙夫有贵客，王姓伙夫便重新生了一把火。果然吃得很好，岑乙在伙夫手上塞了两枚铜钱，王姓伙夫一看，连忙又用一块薄薄的炊布包了几个饭团给岑乙。岑乙推却了一下，又觉得这饭团很香，正好带给小丝当晚饭，也就捎上了。

半井岛没有诗墙，风景却比断勺岛好，流放犯的住房，也多一些。蓑衣老汉陪着岑乙走了一圈，岑乙笑着问：“你跟着我，是怕我再耽搁吧？”

蓑衣老汉说:“是。晚风一起，潮向一变，回去会累得多。”

岑乙在回程的舢舨上与老汉商量，能不能明天去冷獭岛。

蓑衣老汉说:“明、后两天都有风，舢舨不便。大后天是好天气，一早出发。”

9

两天后，岑乙如约起了个早，上舢舨。

离开住所时，他注意到，小丝在窗口看。小丝前天晚上吃了岑乙带来的饭团，也觉得香。她想想也对，岑乙老是神神秘秘地出走，是想多找一点本地的好饭食。要不然，在这里长住下来，吃不好，就不行。

她决定，等岑乙走远后，她今天还要到石洞口，等那队穿葛麻服的男人，等那个有一丝可能的大哥。

岑乙果然是走远了。

冷獭岛比前几天去的那两个小岛加起来还大，房子也多。放眼一看，一队队穿葛麻服、戴草帽的人在各处忙碌，似乎主要是中年人。

岑乙记得，在断勺岛，那些年老的流放犯也穿葛麻服，但很少戴草帽。戴了草帽的，也扣在后脑，让脑袋敞亮着。但在冷獭岛就不同了，所有的流放犯都戴着草帽，而且都戴得很低。岑乙看了一会儿就明白了，这是年龄所致。中年流放犯大多来了不久，还放不下脸，需要遮遮掩掩。只要再过几年，他们的草帽也会往后推，让皱纹越来越深的脸多见一些天日。

今天蓑衣老汉没跟上来，岑乙独个儿穿行在一队队低头忙碌的葛麻和草帽之间。似乎谁也没有看他，但他很快就觉察到，草帽边沿下都有一双快速躲闪的眼睛。这又与断勺岛不同了，那里的老人还会礼貌地打招呼。

岛的北头，有烟飘出，那里是一个砖窑，二十几个戴草帽的人在工作。一般的砖窑是用不着那么些人的，这里人多事少，超常集中。

忽然，岑乙听到窑壁外侧传来一个声音："左膛再加一把柴！"

就在这时，窑壁外侧露出半个草帽，半张脸，仍然是那个声音："再加一把柴，听见没有？"

岑乙霎时愣住了。那脸，那眼睛，那声音，都属于一个人，竟然是黑衣人何求！竟然是把扬州闹翻天的何求！

何求？岑乙简直无法相信，竟然是那个在自己的经历中至关重要的何求？

他到了这儿？

岑乙立即明白了，自己在扬州事件中连续几次写文书向朝廷告发何求，结果告中了，何求被押送回京。谁料到，他被问罪后，恰恰流放到这里！

何求还在喊呢："听见没有，右膛再加——"但他没有喊完，因为他看到了岑乙的目光。

他立即把草帽拉下，闪到窑壁后面了。

岑乙还是站着，不知道该不该与他打个招呼。

绝不能打招呼，岑乙想。他应该知道，他因我入罪。因此，我是他的仇人。与他结仇，我至今毫不后悔，因为扬州的悲剧太严重了，赵南和她父亲赵弼臣的悲剧太严重了。我不能为了与一个熟人打招呼而挤出些许笑容，引起他误会，以为我对他的流放有点不安。不，对他，我没有任何不安。

因此，还是不打招呼。

岑乙没心思看冷獭岛了，跨着沉重的脚步回到蓑衣老汉的舢舨上，只说了声“回去”。老汉一听声调，非常惊讶，看着岑乙的脸，很想知道他刚才遇到了什么，使他的声音发生了那么大的变化。

回程的舢舨上，岑乙都没说话。蓑衣老汉见他像泥塑木雕，也不问，只埋头划船。

泥塑木雕终于活了，因为远远看到石洞口站着小丝。

小丝不是等他。小丝根本不知道他出海，更不知道他会从这里回来。她在等着那一队葛麻、草帽人，今天没有等到，却没想到等来了岑乙。

10

“你一个人出海，不想对我说些什么？”在回巨石商栈的路上，小丝终于开口问岑乙。

“你并不知道我出海，一个人在这里等什么？”岑乙回问。

两人都只问无回，默默地走着。脚步和气氛，都很凝重。

等到走回住所，各自要进门了，岑乙突然叫了声：“小丝！”

这声调，小丝第一次听到，那么正规，又那么诚恳。

小丝站住，转身，抬头，看着他，等他说下去。

“小丝，别怪我。”岑乙说，“我在无意之中遇到了一个人，与我们两人一起经历的灾祸有关。但我脑子有点乱，要理一理，明天再与你商量。”

“你是说，我们两人一起经历的灾祸？”小丝追问道，“扬州的事？”

岑乙点头。

“你发现了赵南的踪迹？”小丝急切地问。

岑乙立即摇头，说：“不是。我发现的，是敌人的踪迹。”

“敌人？”小丝睁大了眼睛。

“敌人。”岑乙肯定地说。略略停顿，又说了下去：“是不是元凶首恶，我还没有把握。”

小丝用激愤的语调说：“如果是元凶首恶，我放不过他。你想想，赵南、赵弼臣、梓园……全毁了。”

岑乙点头，说：“我也放不过。但是……明天再说吧。我想问，你几天来一直站在那里，是？”

小丝见岑乙那么坦诚，觉得自己也不妨敞亮，便说：“我还说不上发现，只是看到一道最不可捉摸的目光，怀疑那可能是我大哥。”

“大哥？”岑乙还不知道小丝家的任何情况。

“把我从刀口血泊中抱出来的大哥！”小丝说。

“刀口血泊？”岑乙大吃一惊。

小丝说：“这事说来话长，我们站在这里说不完，我也不想在房间的烛光下说这么悲哀的事。也等到明天吧，你说你的大事，我说我的大事。”

这一夜，两人各自都在辗转反侧中度过。而且，知道对方也一定在辗转反侧。

海岛的夜鸟叫得悠扬而凄楚，他们还第一次听到。以前，睡得太沉了。

到后半夜，小丝才有了睡意。但不久，又听到岑乙在窗下轻声说："小丝，今天我还要出海证实一点事。”

小丝顺声看窗，天色已亮。

这天，小丝心中翻江倒海，想老家，又想扬州。中午过后，她又向石洞口走去。

今天，她还是要等那道目光。但是，更要等岑乙。等岑乙，变得更实在，更迫切了。

11

就像约好了似的，今天蓑衣老汉的舢舨很早就等在小码头上了。岑乙风风火火地要去冷獭岛，蓑衣老汉也就加力划桨。正好潮水也顺，很快就到了。

岑乙没有花费多大力气，就在砖窑边找到了何求。

何求朝他点了点头，好像知道他会来。

一个穿青衫的中年人把手叉在背后摇晃过来，看了一眼岑乙，对何求说："来了？”

何求点头说："来啦。"

岑乙很奇怪地看着青衫人和何求。何求向他解释："这是我们这里的管带。我昨天晚上就向他禀报，会有一个熟人坐舢舨来看我，请他准许我会客。"

"你怎么知道我还会来？"岑乙问。

"发生了那么多事，不会看一眼就了结。"何求说。

到底是聪明人。岑乙想。

岑乙走近那个青衫管带，往他衣袖里塞了几枚铜钱。青衫管带点点头，伸手请岑乙在海边礁石上坐下。那礁石前，还有一块小一点的礁石，那应该是何求坐的地方。

青衫管带迈开大步朝码头走去。他扬手在与蓑衣老汉打招呼，看上去他们很熟。岑乙和何求，都远远地看着他们。

岑乙回头看了一眼已在对面坐下的何求。何求也抬眼看着他，在等他开口。

"你应该知道,是我告发了你。"岑乙决定干脆把话说在前面。

"我知道，刑部问案时都说到了。"何求说，"你告发得很有节度，刑部又没有查出我有贪污，便从轻发落了。你知道对我的判词吗？只有十二个字。"

岑乙用表情等他自己回答。

何求说："矫亢和案，滋扰地方，惩流海岛。"

岑乙听罢，没有吭声。

"很快就会解除，让我自谋出路。"何求又补充了一句。

岑乙还是没有吭声，皱着眉，看着大海。

一朵隐隐的火苗，在岑乙眼中慢慢升起。何求感觉到了，突然有点畏缩。

岑乙没有发出怒斥之声，只是把头拧过来，也不看何求，只看着地下，静静地问："你知道不知道，就是因为你，赵弼臣先生死了？"

"死了？"何求眼睛发直。

岑乙还是看着地下，继续问："你知道不知道，就是因为你，赵弼臣先生的女儿赵南失踪了，而她是海叶阁和辅仁书院的唯一资助者？"

何求一怔，表情发木。

岑乙还在问下去："你知道不知道，赵南就是一代名角吴可闻，就是因为你，吴可闻没了，梓园也没了！"

何求抖了一下，用手掌捂住了嘴，怕惊叫出来。

岑乙突然吼出一句："你，还说得出口，从轻发落！"

这声音很响，在砖窑劳动的流放犯也听到了，都转过头来观看。

岑乙站起身来，在礁石边快步转圈。转了几圈，又慢了下来。

何求在岑乙站起来的时候也站了起来。他被刚才岑乙的几个问题吓坏了，变得像一柱枯木。

岑乙又在礁石上坐下了，做了一个手势，让何求仍然坐在自己对面。

岑乙平了平气，说："我当时就知道，你当时在作那些谋划的时候，不知道会产生这样的恶果。你只求自己成功，不顾别人死活。我今天过来是想问你两个问题，你必须如实作答。"

何求点头。

“第一个问题，你作这些谋划，背后还有没有人指点？”岑乙问。

何求摇头。

“第二个问题，你作这些谋划，有没有与旁人商量？”岑乙又问。

何求还是摇头。

岑乙说：“一切正如我的预料，你是元凶首恶。但是，你的意图并没有那么凶恶，这就让我犯难了，该怎么来判定你？不是刑部的判，是良心的判。”

何求知道，这不是自己作答的时候，而且自己也无以作答。但他很感激岑乙说自己的意图“并没有那么凶恶”，因此，目光诚恳地看着岑乙。

岑乙停了一会儿，又说：“让我更犯难的是，你怎么会变成这样一个人？孤身一人，永远黑衣，不达目的，死不罢休。”

“这我可以回答。”何求说，“与我的身世有关。但这说起来很长，你明天能再来一次吗？”

“明天？”岑乙说，“可以。”

既然明天还来，岑乙就站起身来。

何求说：“明天，我还要问你一个私人问题。”

岑乙看了他一眼，没说话，转身向码头走去。刚才蓑衣老汉好像也隐约听到了岑乙的怒吼声，神情不安地站在舢舨边，看着岑乙。岑乙向老汉点了点头，没作声。

坐舢舨回到石洞口，他估计小丝在那儿等，果然。

他对小丝说："明天还要出海一次，回来再细说。"

"有关元凶首恶？"小丝问。

岑乙一下语塞了。顿了顿，说："到底是不是，我也犹豫了，所以还要等明天。"

12

第二天，还是在礁石上，岑乙听何求讲述了自己的身世。

一个在灭门惨案中侥存的男子，一匹血迹斑斑的孤狼，为了存活，窥测一路。

一个人的长久自述总会让人心动，不管他是什么人。他讲了那么多，一直看着岑乙的眼睛。这里有一种请你一直听下去的求告，只要你听下去了，他就算得到了回应，此外再无别的要求。

岑乙一开始只想听他说，看他是个什么人。听到一半，已被牢牢吸引。再听下去，觉得应该在他说完后有点表示。

他说完了。

岑乙已经脱卸了审视盔甲，真想说几句了。

他说："以前你几次对我提起，已经没有家人，一切努力只为寻找一个失散的妹妹。我当时只是顺耳听过，没当一回事。

原来你家的遭遇，那么严重。"

何求一时还没有从自述中挣脱出来，岑乙也不再说话。两人都在回忆，又都像没有回忆。

终于，何求期期艾艾地开口了:“其实前些天我已经见过你了，你没有看到我。”

岑乙问 :“在哪里？”

“石洞口。”何求说，“我下坡的时候，你刚从洞口出来。”

“哦，原来那队葛麻、草帽中有你。”岑乙想起来了。

“你边上还有个女孩子。”何求说。

“对，那就是赵南的助手。”岑乙说。

何求突然提高了声调 :“什么，赵南的助手？”

岑乙对他突然提高声调很奇怪，问 :“怎么啦？”

何求不断摇头，然后艰难地吐了一句话:“从眼神看，她有可能——有可能是我的妹妹。”

“你妹妹？你毕生在寻找的妹妹？你做尽坏事在寻找的妹妹？不可能！怎么可能！这是小丝！我的小丝！”岑乙这下发作了，喊声很高，又完全不讲理由。

其实，此刻，何求心底也在高喊，只是没有出声 :“不可能！怎么可能！”

但他们两人都知道，为什么要喊，恰恰是因为有了这种可能。

两个人死死地看了对方好一会儿。然后，再也不看，蹙着眉，直到岑乙走向码头，上了舢舨。

蓑衣老汉慌忙看了一眼岑乙的脸色。与上次一样，又是泥塑木雕。他知道，这时自己不能搭话，搭了也不会有回答，便低头划桨。

蓑衣老汉想，这海，我混了几十年了，有时会变得很狂暴，有时会变得很温和，有时会变得很阴沉，有时会变得很开朗，却从来没有像这几天，变得那么深奥，自从结识这位给钱很大方的年轻人之后。

一深奥，风也钝了，浪也硬了，云也僵了。

舢舨，闷闷地到了。蓑衣老汉看到，石洞口，又站着那位女孩，那位使船上的这个年轻人从泥塑木雕变活的女孩。

今天岑乙没有变得太灵活，步子沉重地上了岸。才两步，他又回身，走到蓑衣老汉面前，说："大爷，我看到了，你与冷獭岛的青衫管带很熟。我估摸，今天与我说话的那个犯人，会通过管带找你，让你找我。"

蓑衣老汉点头，等他说下去。

岑乙说："我住在巨石商栈西边第一间，姓岑，山今岑。如果来找，麻烦你了。"

说着，他又取出几枚铜钱塞在蓑衣老汉手上。

蓑衣老汉推让了一下，便收下了，说："巨石商栈西边第一间，我记住了。"

13

岑乙在石洞口见到小丝，就说，今天时间还早，我们到老城堡的咖啡座去，我有话对你说。

今天的老城堡很冷清，咖啡座里只有三个外国海员。岑乙和小丝选了露天平台上的一个桌子坐下，直接面对着海。

泡好咖啡，小丝直直地看着岑乙，眼神很焦渴。

她希望岑乙赶快告诉她有关“敌人”的一切。

岑乙端起咖啡杯，喝了一口，平静地说：“我知道你在等我说什么。要认识敌人，先要认识自己。我们两人已经走得那么近了，但我还想认认你。”

“认认我？”小丝很疑惑。

“只认你一些最起码的问题。例如，你是哪儿人，姓什么？这不过分吧？”

当然，这太不过分了。问题的门槛，已经低得没有门槛，小丝有点不好意思，嘴角露出一点抱歉的笑意。

“这些最起码的问题，我自己也一直不知道，直到长大，才猜到。”小丝说。

“猜到？”岑乙问。

小丝点了点头，说：“我有一个漂亮的远房婶婶。她送我去苏州昆班训练园，为了保密，不能漏底，却又要留下一些可辨痕迹，便说了一些最聪明的暗语。”

“暗语？”岑乙等她说下去。

“教习问她，我是不是苏州人，她说不是这个苏州。教习照原话记上了。我到长大才醒悟，不是这个苏州，那就只能是宿州了。教习又问她，姓什么，她说，流浪人间，何姓可记。我到长大才明白，这后面四个字，不是感叹，而是肯定，我就是姓何。”小丝说，“后来我追索亲戚，得到了证实。”

“这么说，你是宿州人，姓何。”岑乙总结了一下。

“对。”小丝点头。

“那么，我要告诉你，你的大哥找到了。”岑乙故意把声音放轻，放缓。

“什么！”小丝猛地一下站了起来,让桌子和椅子都颤了一下，把咖啡杯和底盘也撞歪了，险些掉到地上。

在里间喝咖啡的三个外国海员也听到了她站起来的声响，都侧过头来观看。他们预计，这个身材极好的中国女孩很可能会扬手狠打对面这个男子一记重重的耳光，然后转身离去。但是，没有耳光，女孩又坐了下来，听男子说下去。

岑乙说:“我下面讲的话更刺激，你要保证，不要这么猛烈地站起来，吓住了外国人。”

“我不站起来，”小丝说，“你快讲！”

岑乙说 :“你大哥，正是那位疑似的元凶巨恶！”

小丝忍不住又要站起来，却又立即想到了刚才的许诺。她坐定了，看着岑乙，嘴唇在抖。她想喝口咖啡，但拿咖啡杯的手在抖。

过了好一会儿，小丝终于开口了，却是自言自语 :“难道，就是那天在石洞口看到的那道目光……”

“正是。”岑乙说，“我在扬州就认识他了，所以他一见到我，就用草帽遮住了脸。我早知道，他姓何，宿州人。”

“那就，那就请你从头细说吧。……他，到底在扬州做了什么？……他，又为什么会这样做？”小丝幽幽地说，显得浑身疲乏。

岑乙举手让侍者加了热咖啡，开始慢慢地说起来。他在舢舨上就反复提醒自己，要说得尽量平静，平静了再平静。

扬州的事，小丝只感受到与赵南直接相关的凶险，却不知道那些计谋，那些环节，那些曲折。岑乙多么想回避却怎么也无法回避，全部都在一双黑手的操弄之下。

小丝静静地听着，看着说话的岑乙。后来，把目光从岑乙脸上移开，只看着咖啡桌的桌面。再后来，连桌面也不看了，只是抬头看着海面，一动不动。

岑乙发现，小丝的目光是茫然的，他已不必像开始叙述那样，考虑她的情绪。这目光没有情绪，只有今天下午海面的灰蓝色，映在里边。

又说了一会儿，岑乙发现，小丝的目光中有了动静，好像有一种带有情绪的暖色蒙起。但仔细一看，那只是西边夕阳的辉映。天色已晚，是黄昏时分了。那不是小丝的情绪，更不是小丝的暖色。

这个老城堡咖啡座按照外国商人和海员的习惯，开得很晚，现在开始有点热闹，那是到了晚餐的时间。岑乙已经把扬州的事叙述得差不多了，想在黄昏的天色中把小丝拉回，便说："晚餐你要点什么？"

小丝被拉回来了，像从一场噩梦中醒来，但还迷糊着，只嘟哝一句："随便。"

岑乙点了几样吃的，小丝木木地动着筷子和刀叉，却很少入口下咽。

终于，她仰脖喝了一大杯侍者送上的温水，似乎回过神来了。她用正常的语调问岑乙：“你说，一个从家难中走出的人，怎么会变成这样？”

岑乙说:“这也是我在冷獭岛当面向他盘问的重点。我忍不住，还对他发出了怒吼，把周围的人都吓着了。”

“你找到答案了吗？”小丝问。

“还没有，只能猜。”岑乙说，“我想，起因还是你们的那场家难。家难让有些侥幸逃出的人，一路与恶相抱，造就了他；又让有些侥幸逃出的人，一路与善相融，造就了你。你们成了彻底相反的两种人，但还有一个共同点，那就是孤独。”

小丝听了眼睛一亮，说:“你又一次让我刮目相看。在那个岛上，你真对他怒吼了吗？”

岑乙点头。

小丝说：“吼得好！也许起点一样，但到现在，善就是善，恶就是恶，水火不容。他，居然做了那么多坏事，我还怎么认他做大哥？”

岑乙说:“这是大事，还得想一想。你们一家，就剩下你们两个骨肉了，而且他是抱着你逃出来的。后来，他做那些事，都说是为了找到你。毕竟，我们是中国人……”

小丝到这时终于流泪了。岑乙与她相处那么久，第一次看到她流泪。

小丝快速拿出手绢擦了擦眼泪，站起身来说：“回去吧。”

14

在回去的路上，岑乙说:“原来你们只是目光相接，我这一去，彼此知道对方的存在了。从今天开始，他会天天等你。把半辈子的事，压在这几天了。”

“我转不过来。”小丝说，“他对我，只是目光一闪;赵南对我，痛彻心肺。我如果去见他，叫一声大哥，就是对自己前半生的背叛。”

“我理解，我理解。”岑乙被小丝感动了，说，“这几天，你就好好谈谈自己的经历吧。你谈了，我谈。我们现在已经站在山腰平台上了，却互相不知道是从哪两条小路爬上来的。”

“好。”小丝同意，“明天开始。”

“还到老城堡的咖啡座？”岑乙问。

“对。如果到茶寮里，都是中国人，听得懂我们的话，座位又摆得挤，不方便。咖啡座好，我听得懂外国人在讲什么，外国人却听不懂我们在讲什么，这很痛快。”小丝说。

“你听得懂外国话？”岑乙又吃惊了。

“你忘了，赵南是做外国贸易的，我是她的助手。”小丝说，“只不过，我的外国话水准不高，还带着一点苏州腔。”

从第二天开始，他们像上班一样，准时去老城堡咖啡座。彼此谈得很透、很细，还不断互相追问。

谈到第五天，他们晚上回到巨石商栈，商栈的经理说，有一个蓑衣老船工来找过岑先生，还在西边第一间房间门口等了很久。

岑乙一听，就猜到怎么回事了。

小丝问他，怎么冒出来一个蓑衣老船工？岑乙说："你大哥着急了。"

第二天早上，岑乙到石洞口的码头找到了蓑衣老汉。老汉说，昨天他去了冷獭岛，那个青衫管带要他带话过来，说是姓何的犯人流放期已满，可以离开了，但一定要见一下妹妹，否则不走。

这可是个大消息，岑乙连忙快步走回住所，急急地找小丝。

小丝一听，闭了一会儿眼。然后，请岑乙在自己房间里坐下，说这事必须慎重考虑。

"还是与我一起去看他一下吧。否则，他就在那个岛上与你拼时间。今后他的流放，不是朝廷判的，倒是你判的了。"岑乙说。

小丝说："不错，朝廷轻判了，我不能轻判。他还不了解他的妹妹是何等样人。"

岑乙说："他毕竟已得到惩罚。一家人，或许能够宽宽心，不计前嫌……"

没等他说完，小丝就抢过了话头："不计前嫌？那是指私家恩怨。请想想那天扬州的地道和运河，那么大的祸害，怎么还能纳入私家门庭？我如果把公害私化，岂不是道义舞弊！"

岑乙深深地点头。在道义上，他完全站在小丝一边。小丝刚才所说的话，把他那天在冷獭岛上当着何求的面本想大吼一百声而只吼了一两声的满肚子埋藏，又调动起来了。他不想立即用劝说来阻挡小丝内心正义的爆发。然而，不管怎么说，他印象中的何求并不完全是恶的化身。这是因为，自己多次接触过何求，而小丝却没有。

人，一个活生生的人，真是天地大秘。不能用善、恶、是、非、忠、奸、真、伪这些概念分割穷尽，因此也不能用爱、恨、情、仇、亲、疏、笑、骂这些态度表达干净。

岑乙记起来了，几次一起看昆曲，何求都会忍不住暗自垂泪抽泣，无非是剧情唱词触动了破家之忆、寻妹之思。岑乙又记起来了，何求还曾经用自己的名字调侃自己，疑惑地自问：“何求？何求？”当然，这是他自取的名字，概括了自己彻底的迷惘。

何求？何求？至少有一点追求是真的，那就是寻找妹妹。

岑乙想起，那天他在冷獭岛问何求：“为什么两次在梓园垂泪抽泣？”

记得何求一顿，说：“二十岁之前的泪，流给屈死的母亲和弟弟；二十岁之后的泪，流给怎么也找不着的妹妹。”

“怎么也找不着？”岑乙问。

于是，那天，何求讲述了自己寻找妹妹的故事。这是那天谈话让岑乙颇为感动的内容，也是他至今没有把何求彻底看死的原因。

想到这里，岑乙突然觉得应该对眼前的小丝补充一点情节了。前几天，在老城堡咖啡座，尽讲何求所操弄的那些坏事，遗漏了一些软柔的情节，认为那不重要。

岑乙抬头看小丝。小丝的眼神还是那么坚定，邪不可侵。此刻的小丝，接受不了任何有关何求的软柔。岑乙决定，用一个听起来对何求不利的问题开始。

“小丝，”岑乙说，“何求一直说在找你，但是，他一度做到了朝廷军机处的密探，脑子又那么好使，为什么会一直找不到？”

小丝立即响应：“是呀，他到底找了没有？也许是以空话来装饰自己的亲情吧？照理，他先把我放在表外婆家，从表外婆开始在亲戚间递送，他为什么不一家家追问下去？”

岑乙一听就高兴了，因为小丝接受了自己的话语安排。

“他确实一家家去追问了，过程很复杂。因为除了第一家表外婆，后面那些轮流转送的亲戚，无法认定他的身份，甚至怀疑他是仇家冒充。”

这倒是真会这样。小丝想。

岑乙看着小丝，说了下去：“他毕竟是他。用尽口才、记忆和计谋，走通了一关又一关，最后，他终于找到了苏州，见到了你所说的那位远房婶婶。”

“他找到了远房婶婶？”小丝惊讶地呼叫起来，“不会。远房婶婶多次来昆班训练园看我，我跟着赵南做事后还去看过她，她怎么从来没有提起？”

“这是他那天与我谈话中最说不清的部分，因为他自己也搞不清。”岑乙说。

“除非，远房婶婶根本不相信他是我哥哥？”小丝说。

“问题是，相信了。他讲述了一系列有关你的细节，远房婶婶深信不疑。他们，一共交往了三个月，长谈过五次。结果，远房婶婶告诉他，你被人贩子拐走了，完全不见踪影。”岑乙说。

“交往三个月，长谈五次……”小丝陷入了沉思。她又问岑乙：“他有没有告诉你，他们谈了些什么？”

“他说，主要是远房婶婶在询问，从他一步步上升到军机处的经历，以及现在的行事，今后的打算，他尽可能都一一回答了。远房婶婶听得津津有味，兴致勃勃。”岑乙说。

“但是婶婶最后的结论是，我被拐走了！”小丝突然兴奋起来，问岑乙，“你，难道没听出来吗？”

岑乙不解地看着小丝。

小丝说：“那三个月交往，五次长谈，都是婶婶在考察他。结果，没有通过，婶婶拉下了一堵隔离墙！”

岑乙有点惊奇，却完全没有反驳，抬起头，看着屋子的天花板，想着。

小丝轻轻笑了一下，对岑乙说：“人对人，相处一久，总会产生一个大体反应。我问你，你对我这个大哥，交往的时间也不短了，一次次加在一起，产生的大体反应是什么？”

岑乙艰难地寻找着词汇，希望能够准确：“聪明、自信、全能，狡黠、诡秘、狠辣。交往一次，佩服一次，却又增添一分有关人世生计的乖戾。”

小丝说：“大概，这也是婶婶的印象。请注意，那是在扬州事件之前，婶婶还不知道他摆开阵仗时会是什么模样。”

“那么，婶婶为什么不把他们交往的事情告诉你？”岑乙问。

小丝说：“这说明，婶婶对我还有一点疑虑。一个从小失去了家庭的小女孩，突然发现唯一的亲哥哥就在近旁，很难不飞奔过去。但婶婶忍痛挡路了，她明白，说理、警告都没有用，唯一的办法是压根儿不让我知道。她对我的封闭，是对我的拯救。”

岑乙说：“你这位婶婶，简直像女神一般。”

小丝说：“以后你一见就知道了，美貌绝伦，智慧无比，又坚守大道。对这个大哥，我必须沿用婶婶的办法：封闭。”

15

封闭，也就是肯定不去冷獭岛了。

何求，就会在那里一直耗下去。他做得出来。

昨天晚上的话题，就结束在“封闭”二字上。小丝态度那么坚决，坚决得不想再谈下去。岑乙起身离开小丝房间时，已经很晚。那支蜡烛，点掉了半支。

岑乙怎么也睡不着。事情不再狞厉，却那样的打动心扉。

小丝的话当然没错，但是，扬州梓园剧场里几次响起在耳边的抽泣声，依然隐隐飘来。岑乙若要硬硬心肠挥走那声音，并不难做到，但是，他现在不想做得那么简单。

抽泣声，抽泣声，何求的抽泣声，一个被公认为计谋强人的抽泣声，岑乙至今仍觉得十分艰涩。

现在，当何求知道自己找了半辈子的唯一亲妹妹就在近旁却不愿见他，他等了很多天还是不愿见他，他已经解除流放只想在返回前见一面还是不愿见他，一定也在声声抽泣吧？

其他犯人都听见了，却不明白他为何解除了流放却反而更加悲哀。冷獭岛的夜半抽泣声，是另一番艰涩。犯人们听一会儿之后又听不到了，满耳只是海浪、海风。

此刻岑乙耳边，也是海浪、海风。这几天天气闷热，巨石商栈的每间客房都打开了内层板窗，只掩着外面一层百叶窗。因此，岑乙躺在床上就像躺在露天的平台上，满耳都是天籁。

突然，他听见，海浪、海风中也有抽泣声，应该与冷獭岛犯人听到的一样。怎么会传得那么远？是我在做梦吧？他掐了一下自己的手，知道不是在做梦，于是立即作出了判断，这是从走廊对面另一扇百叶窗里传出来的。

是小丝的抽泣声。

让岑乙一震的是，这抽泣声，与梓园剧场邻座的抽泣声，几乎一模一样。到底是亲兄妹，可以处处不同，却又相同于悲哀深处。

小丝的抽泣声没有持续多久，但岑乙已经知道，明天早晨该怎么做了。

想妥了，岑乙倒是睡着了，而且睡得很好。

早晨，百叶窗里灌进来一排抵挡不住的清风。没有什么风力，却是胀足了海的气息。同样在海边，晚上为什么没有这种气息呢？也许海也睡了。

岑乙起床后，匆匆收拾了一下，就来到小丝的百叶窗下面。怕小丝还睡着，他在出门时故意碰出了一些响声。他断定，小丝醒了，正在听着。

“小丝，你听我说。”这个开头，意味着他要说一段比较重要的话。

“我在床上想了很久，决定今天还是要去冷獭岛，看望你的大哥何求。原因是，我们现在已经落脚五蕴岛，知道了五蕴皆空。大善不同于中善和小善，已经不需要忙着与恶切割，而是要将它俘获，将它看空，将它引渡。”

岑乙知道自己这段话分量很重，因此说得很慢。说完，又停顿了一会儿。

他说下去了：“麻烦的是，现在何求在等的，是他的妹妹你，而不是我。等妹妹，是他半辈子的梦。我去，只是重见一个扬州老熟人，身份不对。你，能不能让我变成一个传话的人？”

他的意思很清楚，让小丝用妹妹的身份留几句话给大哥。

百叶窗没有回答，但岑乙听到了小丝起床的声音。小丝拖着拖鞋走到百叶窗前，稍停，传出了清晰的声音——

“你去的身份，是妹夫。”

后　话

1

蓑衣老汉看傻了。平日那么平稳的岑先生，今天从石洞口走下来，动作夸张得有点摇摆。三次摔跤，爬起来还满面笑容。

上了舢舨，倒是平静了，扪着嘴，看着海，想着什么。眼睛里，波光荡漾。

不久，他坐在冷獭岛礁石上了，对着何求。何求今天见岑乙不必向青衫管带打招呼了，一下子变得非常安详。岑乙第一次见到他的这种表情，有点陌生。

笑了一下，何求问："我妹妹还是拒绝我？"

岑乙说："她让我代表她，过来。"

"代表？"何求问。

"我是你的妹夫。"岑乙答。

何求一下子站了起来，看着岑乙，问："什么时候结婚的？"

"今天一早。"岑乙说。他也站了起来。

"私定终身，连媒人都没找吧？"何求说。

"有媒人。"岑乙说。

"谁？"

"你。"

他们伸出双手握在一起，又坐下了。

接着，他们进行了一番长谈。岑乙把昨天晚上与小丝谈话的全部内容，复述了一遍。

他犹豫，要不要把早晨百叶窗下的重要谈话也告诉何求。谈着谈着，还是说了。

何求听得很仔细，却没有表情。但岑乙看得出来，今天他内心的表情非常丰富，只是沿袭他多年不露声色的习惯，还要端一阵子。

两人知道，要小丝出面，还要等很久。不是等她转变，而是她等何求转变，真正的转变。在这过程中，联络者，是岑乙。已经是家人了，妹夫岑乙。

何求告诉岑乙，他已经决定，回到自己犯罪的地方，扬州，办学。他有能力花几年努力，把辅仁书院恢复起来。原来辅仁书院的孙掌门和教师都不聘用了。好在扬州多的是饱学之士，又有慷慨儒商，大家都能看到一所好学校。

何求说，自己后半辈子，学赵南，做慈善。最终目标，是能够获得妹妹认可，见一面。哪怕白发苍苍了，也不晚。

2

小丝听了岑乙回来后的转述，摇头。

岑乙觉得有点奇怪，看着她。

小丝说:“他看错赵南了。赵南不在乎大家的目光，也不是在做慈善。”

岑乙问："赵南不在乎大家的目光，这我知道。那你说，她最在乎什么？"

小丝说："天道、良知、美好。"

岑乙说："前两项我猜到了，漏了美好。"

小丝说："请回想一下吴可闻。"

岑乙叫声"哦"，顿时明白。

小丝又把话题绕回到了何求，说："无论如何，在扬州办学还是好的。这倒对我有一点启发，等想好了慢慢对你说。"

也只能慢慢再说了，两人心里早在打鼓，而且越打越急：这是他们的新婚之夜！

两人突然无话，笑眯眯地看着对方。

岑乙先开口："那次在水里已经拥抱过了，现在就不必害羞了吧？"他随手抱住了小丝。

小丝用手一挡，说："慢，你没有求过婚，婚事是今天早上由我单方面宣布的。上次在水里，也是我救你，不是你救我。这两笔账，是不是有点重？"

"用十辈子来还吧！"岑乙又把小丝抱住了。

小丝又一次用手一挡，说："我一直做一个同样的噩梦，就是那批强盗终于把我追上了。从今天开始，这个噩梦可以斩断了吧？"

岑乙说："如果这个噩梦成真，我就等着他们，不必用十辈子来还欠账了。"

小丝说："我们就这样成婚，是不是太草率了？"

岑乙说："你刚刚说了，不在乎大家的目光。"

小丝说:“这儿没有大家的目光，那何不隆重一点，我们到海滩上度过新婚之夜？”

岑乙一下子跳了起来，卷起毯子和浴巾，一把拉过小丝，说：“走！”

小丝又停步了，说:“明天一早，他们看到海滩上睡着一男一女……”

岑乙说：“你刚刚说了，不在乎大家的目光。”

今天晚上，月色不错。

3

巨石商栈都是单间,岑乙和小丝结婚后就不便住在那里了。

他们花了不长的时间，在岛上找了一处很好的住所。

原来是一个葡萄牙富商的宅院，外墙和地基都是岩石，里边却是木结构。看得出，当时的主人特地挑了一种不受潮、不生霉的木头。他们两人又从外来商船中挑了一些家具和用品，岑乙又托几条走宁波和浏河口的商船带来了一批中国书籍。

他们在这里成家。

当初小丝做赵南的助手，有一笔积蓄。岑乙比小丝少，也有一些。岛上生活，费用省俭，日子过得很宽裕。

不久，夫妻俩开始了一个计划。

小丝跟着赵南那么久，深知“天下兴亡，其半在商”的道理，而这却是岑乙的盲点。小丝天天对岑乙启蒙，岑乙曾经抵拒却节节败退，最后心悦诚服。但他们发现，岛上外国商人与中国商人做生意，语言成了最大的障碍。

小丝当初帮助赵南做国际贸易，深知翻译难找，因此花不少时间自学英语，已经可以部分地应付实用。这些天，她在五蕴岛上结识了一位欧洲的船长夫人,便约定一对一地互教互学，也就是小丝跟着这位船长夫人尽量把英语练得地道，而船长夫人则跟着小丝学汉语。同时，她又请来一位对中国充满好奇的海员，与岑乙互教互学。

一年之后，岑乙和小丝的英语，已经让一切到岸的外商大吃一惊。而那位船长夫人和海员的汉语，虽然差一点，也足够实用。由此，小丝向岑乙建议，办一所双语学校，小孩、成人都招收。他说，这也是受到了何求到扬州办学的启发。他们请外国商船，带来一套又一套的英语课本和其他英语书籍，作为教材。

那时戚门壕和陈家卫的海道已畅通无阻，那两村的孩子也来上学，以农产品充当学费。这座五蕴岛上什么都有，就是缺少农产品，这下齐全了。

日子就这样一天天、一年年过去。

岑乙、小丝有了两个儿子，大的叫岑扬州，小的叫岑苏州，也是双语学校的学生。

双语，这在清代的中国大陆还用处不大，但在这个岛上，却供不应求。很多学生还没有毕业，就被抢上了那些商船。

4

海岛，对中原大地来说，是远离是非的世外桃源。但是，谁也没有想到，它也有可能成为麻烦的前沿。

一天，两名朝廷水师的官员来到双语学校，要学校里任何一名中国籍的教师，用英语向岛上的外国商人宣读一份朝廷禁令。英语最好的中国籍教师是小丝，她伸手向官员索取朝廷禁令的中文原本。

官员一看，说："怎么是个女的？那断断不行！"不把朝廷禁令交给小丝。

小丝很生气，但一下子又笑了，对官员说："那就只能请外国教师了，行不行？"

"外国人断断不行！"官员说。

"那就只剩下这些学生了，英语也不错。"小丝说。

"小孩子断断不行！"官员说。

小丝朝着官员两手一摊，表示没有办法了。

官员归纳出一个结论："女人、小孩、外国人来宣读朝廷禁令，有损大清隆威，断断不行！"

"那只能请长官大人亲自出马了。"小丝调侃道。

"从朝廷命官口中吐出番邦异语，断断不行！何况，我也不会。"官员说。

随即出现了一个静默场面，因为大家都觉得无话可说。

“只能我来了。”这是岑乙的声音。

岑乙走到官员面前，说：“我是学校的打杂，不是女人，不是小孩，不是外国人，也会说几句外国话。”

“打杂？”官员疑惑地看着岑乙。

小丝一步上前，对岑乙说：“他马上就要说断断不行了，你又何苦？”

岑乙说：“朝廷专门派人到岛上向外国商人宣读禁令，一定是头等大事，不要耽误了。”

小丝一听觉得有理，立即转身对官员，严肃地说：“他是本校的主管，打杂只是戏称。由他去宣读，比谁都合适。”

两位官员点头，把朝廷禁令交给岑乙。

岑乙以最快的速度了瞄两眼，立即说：“果然是大事。快，把你们要找的外国商人和船长集中到老城堡！”

“这么长的禁令，你怎么一下子看完了？”官员不解。

小丝骄傲地一笑，说：“这就是古人所说的一目十行！”

岑乙着急地把她拉到一边，说：“别开玩笑了。我对时局早有预感，果然。这十几年外国商船装了多少鸦片到这儿？朝廷禁止后，他们又在冷獭岛、断勺岛、半井岛分销给中国的毒贩。这个禁令，把外国毒贩和中国毒贩一起禁了，应该！”

说完，他与两位官员匆匆去了老城堡。

接下来的事情是，戚门壕进驻了朝廷水师的巡查船队，一天两次在附近海域缉私。冷獭岛变成了专门收押中国毒贩的监禁地，造了两所花岗岩的监房。

再接下来的事情是，海上出现了一批速度惊人的快艇，见到水师的巡查船就开枪，巡查船完全无力抵抗。一连两次，几艘快艇又劫走了冷獭岛上的毒贩。

仅仅在岑乙宣读朝廷禁令的两年之后，一切都回复到禁令之前，而且更加猖獗。茶寮里的一些客人说，沿海几个府县的官员都吸上了鸦片，怎么还能遵照禁令？鸦片商人只要喂足了他们，什么都不用担忧了。

老城堡的咖啡座里，出现了一批又一批号称“东印度公司”的外商，“烟土”已经明目张胆地成了他们最大宗的生意。

好像，一切都无可挽回了。

岑乙在双语学校里一遍又一遍地对学生们说：“你们今后可以做一切事，却万万不可涉足鸦片买卖。只要涉足，就断绝师生关系。”

小丝更厉害，说：“也可以不断绝。一旦涉足，我们就在操场南墙的儆示榜上写上他的名字，让师弟们永远引以为戒。”

5

偶尔，从浏河口到五蕴岛的海船上会有一个熟悉的“舵把”来敲门，带来扬州辅仁书院的信件。寄信人，是何求。

何求到扬州五年后，恢复了辅仁书院。第二年，他与梓园祭藏书楼的主管结婚了。那个主管，就是原来昆班中曾经到海叶阁借阅汤显祖、洪昇剧本的高个儿女演员。是邹阁老在危难中的决定，把藏书楼交给她管理。

何求在完婚后才寄的喜帖。他知道，妹妹小丝还没有原谅他，妹夫岑乙也不会单独到扬州参加婚礼，因此不在事先寄送。

又过了五年，岑乙、小丝的儿子岑扬州和岑苏州都长大了。他们从小就纳闷自己怎么不是像其他同学那样，有祖父、祖母、外公、外婆。岑乙和小丝以实相告，都过世了，却不再回答追问。等到他们都超过了十岁，岑乙说："你们的父亲家情况比较简单，而你们的母亲家却特别复杂。抽时间，你们端正坐好了，我仔细讲给你们听。"

那是一个秋天的下午，岑乙趁小丝外出，给两个儿子讲述小丝家的悲惨故事。

两个孩子，一直在不断流泪。他们越来越觉得，妈妈是一个了不起的女英雄。

无法避免，岑乙告诉他们还有一个大舅舅。扬州事件的经过，也约略讲述了一遍。但奇怪的是，两个孩子对大舅舅没有太强烈的反感，只觉得他像是传说故事中的"蒙面黑影"，很想见见。

"那么多年，妈妈为什么不肯见他呢？"孩子们问。

岑乙被问住了。他心中有答案，但这答案有点深，儿子一定听不明白，自己应该先从心里软化一下，再给他们说。

"过三天，我来回答。"岑乙说。

三天后，仍然是趁小丝外出，岑乙招手让两个儿子过来坐下。那神情，像要透露一个什么秘密。

岑乙说:“好，现在说说妈妈为什么不去看舅舅的事。这里边的道理超过你们的年龄，但你们也可以先听听。”

岑乙看两个儿子已经静下心来，很恭顺地看着自己，就说:“人要学会宽恕别人，但是，也有可能遇到太浓的恩仇，如果硬要去消化,反而会伤胃。为什么要生你们?那是为恩仇找阶梯。让同一代人从恩仇的高坡上直接跳下来，会摔坏。下一代，就好办了。”

“那妈妈就决定不宽恕大舅舅了？”大儿子岑扬州问。

岑乙说:“那年爸爸决定到冷獭岛去看望大舅舅的时候，是妈妈下令以妹夫的身份去的，那已是最大的宽恕。再往前走一步，是你们的事了。孩子，人的一生很短，能做的事情不多。不管什么事，只要一起头，对面的边界已经隐隐出现了，最终还是越不过，那就不越。”

岑乙觉得两个儿子不可能理解这最后的意思,就嘲笑自己:“哈，还是把你们看大了。我只希望，你们能与大舅舅的孩子正常交往，妈妈也是这个意思，等机会吧。去扬州前，妈妈会让你们先到苏州，去看望一位漂亮的老太太，是妈妈的婶婶，连我也没有见过。”

6

小岛无岁月。

海风阵阵，日出日落，春去秋来，雁飞雁回，岑乙和小丝也渐渐老了。

现在我们见到的，是白发斑斑的他们。有趣的是，两人都没有发胖，身板健朗。走在海边沙滩上，如果光看背影，很难相信他们的年岁。

其实，他们的两个儿子，岑扬州和岑苏州，也已经是三十多岁的中年人，都有了自己的孩子。

就在这一年，他们遇到了真正的大事。

一天傍晚，两条官船急急靠上了码头。一群神色慌张的人，来寻找岑乙和小丝。来人开口就说，钦差大臣林则徐到广州查禁鸦片，天天与英国人打交道，涉及大量西方的商业规则和法律条文，却严重缺少翻译人才。

来人由于着急，因此说得非常啰嗦。他们告诉岑乙和小丝，林钦差从北京“理藩院”带来一位译员，是一位老人。据说年轻时在印度读过书，能把中文译成英文。但英国人看了，表情木然，而中国人却不知道翻译得对不对。

剩下懂一点英文的，只有“十三行”的买办、珠江上的引水员、教会里的一些学生。他们的英文，受到职业局限，而中文都不太行。

来人还指名道姓地说，现在林钦差在用的，一个是从马来西亚槟榔屿回来的华侨叫袁德辉，一个是澳门马礼逊学校的学生梁进德，还有一个在美国念过书的青年，名字忘了。他们虽然也做一些口译，但主要是以书面方式翻译西方的一些地理、律例、报刊情况供林则徐参考，都只是背景知识。

总而言之,中国这么一个庞然大物与外国发生了严重冲突，却还“说不上话”。

对于外国贩毒集团，林则徐大人已经把满腹经纶变成了满腔怒火，还用汉唐辞韵、宋明语势滔滔论辩。但对方，却几乎不懂，耸耸肩膀，眨眨眼睛。

结果，明明是一个国际贩毒事件，却越搞越复杂，反而变得中国没道理了，好像是中国在阻碍“国际贸易”。

林则徐在一次次“对牛弹琴”之后，下令寻找“可用通译”，结果极为艰难。寻找的线索越布越广，其中有一条线，打听到了岑乙、小丝夫妇办了多年的双语学校。但又花了不少时间，才找到这座岛。

岑乙、小丝夫妇觉得这事非同小可，有关中华民族的荣衰存亡。可惜他们的学生，多半去了商船和洋行。余下的，英文倒是可以，麻烦的是中文。

夫妇俩读过林则徐写的好几首诗，也从茶寮传抄的驿报中见到过林则徐的奏折，深知能将他的意思比较完整传达成英文的翻译人员，必须熟悉中国古文。这在眼下，简直是凤毛麟角。

真正有能力担当的，只有两个人。那就是他们自己的两个儿子，大儿子岑扬州、小儿子岑苏州。他们的英文和国文，都到了相当程度。

年迈的岑乙、小丝夫妇找来了两个儿子，细细劝说，让他们到林则徐身边去，做翻译。

两个儿子分别在一家船务公司和一家贸易公司上班，手上有很多放不下的事，如果去了广州，又不知何时能够返回。但看了父母亲焦急的眼神，就同意了。他们从来没有看到过，永远平静、温和的双亲，会有这样的眼神。

因此，两个儿子立即通知广州来人，安排完一些紧迫的事情，三天以后就坐上他们的船，去广州。

7

没想到，广州来的官员看那么爽快，反倒搭起了架子。

他们斜过一眼，慢吞吞地说："我们几个都不谙英文。是否录用，还要由钦差府定。"

对这种突然变冷的语言，岑乙、小丝夫妇倒是在人生经历中早就习惯，从来都不会生气。他们的儿子岑扬州和岑苏州也从小继承了父母亲这种传统，于是两人一起点头说："好吧。"

"如果不被录用，回来就要自己找船了。"来人得寸进尺。中国官场历来如此，在任何情况下都要对他们认为的弱者显摆一下，显摆得那么不通人情。

但是，岑扬州仍然说："自己找船？好吧。"

"你们小岛人没见过世面，到了广州可要谨言慎行。"

"好吧。"岑苏州说。

"如果外国人问起你们的来历，万千不要说来自小岛，一定要说来自京城。"

"来自京城？好吧。"岑扬州说。

"你们不要老是好吧、好吧，这事非同小可。五蕴岛，谁听到过？一报地名就矮了半截。如果说堂堂钦差大人的通译来自一个地图上也找不到的小岛，这会多么丢人？"

"好吧。"岑苏州说。

说过很多"好吧"之后，岑扬州和岑苏州去向父母亲告别。

这次恐怕要离开很久，忠孝不能两全。

刚推开父母亲的门，父亲岑乙像是早有准备，看着两个儿子，轻声说："不用去了。"

"为什么？"儿子问。他们猜想父亲可能听说了广州官员的突然傲慢，生气了，因此又笑着对父亲说："国家事大，不要理会他们的蛮横。"

"这下轮不到他们蛮横了，后面还有更蛮横的。"母亲小丝说，"刚才在茶寮看到朝廷速报，林则徐已被革职，西方赢了。"

岑乙叹了一口气，转过头来对小丝说："现在的中国，就像当年的赵府，一直守着诗书礼乐安静度日，却从外面来了那么多觊觎，那么多手脚，那么多喊叫。这小岛，说不定要由西方人来占领了。"

“占就占吧，”小丝看了丈夫一眼说，“到头来就像王直和倭寇，占不住。来势汹汹，五蕴皆空。”

岑乙说：“对，一座空岛，藏着东方奥义，让他们读去。但中国朝廷也真得变一变了，现在连我们家三代，都成了它的陌生人。”

第二天一早到码头一看，那两条官船果然已经不见了。

这群官僚真不像话，自己要走，也不来通知一声，看来是太慌乱了。他们昨天还看不起这座小岛呢，小岛却看着他们手足无措，匆忙逃离。能逃到哪里去呢？等着他们的，一定是麻烦再加麻烦。惊恐再加惊恐。

8

茶寮里天天传来的消息，没有一个是好的。中国，受尽了东南西北各个方向的欺侮，却没有还手之力。岑乙想，不能再听了。因此，他换到了一个听不到别人谈话的茶桌。

但是，坏消息越来越多，茶寮里谈论的声音越来越响。大体分成三派，争论得很起劲。细听下来，每一派都很糟糕。争论了几天之后，每一派愈加激烈，而且都用眼角扫着旁边的茶客，全都变成了哗众取宠。

岑乙看了一下四周，已经没有安静的座位。他决定，去一家远一点的茶寮。

去了以后才知道，那家茶寮更热闹。仍然是，哗众取宠，哗众取宠。

岑乙这天回家后告诉小丝，明天起，不去茶寮了。

小丝说：“我在家里给你布置一个茶寮吧，不比那里差。”

岑乙说：“家里有壶有杯就够了，布置什么茶寮。以前去那里，也不只是为了喝茶，是为了听点岛外的什么。现在不想听了，还是多在书房里坐坐吧。”

9

岑乙近几年通过商船，又采购了几部特别的书。一部是纪昀他们编的《四库全书简明目录》。自己人生的全部坎坷，都是从《四库全书》开始的。一部是《仁宗实录》，还是宫廷手抄节录本，里边有和珅案的文档。一部是李斗的《扬州画舫录》，保存了大量扬州昆曲演出的史料。同时，他又搜购了各种“山志”，从扬州过来，一路上所经过的山，都有山志，放在书橱里很见气象，好像一直在一遍遍漫游。他更想找的是海图，最好有浏河口过来的航线，最好有五蕴岛和冷獭岛。但是什么路子都走遍了，就是找不到。

找不到就不找了吧。毕竟上了年纪，看书也很随意，只是闲来翻翻，倦来掩卷。

小小的岛屿小小的屋，老老的夫妻老老的笑。

可能与心境有关，好像下雨的日子渐渐多了起来。

岛上的雨总是很大，与大海搅和在一起，有一种铺天盖地绝灭感。于是，在下雨时节，家更小了，也更让人依赖了。窗上呼呼哗哗的拍打声，像是在提醒，又像是在催促，生命的空间已经不大，全在视觉之内。

几步之外的狂暴海天，对自己琐小的躯体而言，似乎很不真实。

但是，自己又是什么？躯体又是什么？真实又是什么？

老了，已经想不动了。只知道，窗外的风雨与自己融成了一体，生命的天地就会变得浩瀚无比。那里，没有生死。

空岛之空，无以言表。

所谓终点，无非如此。

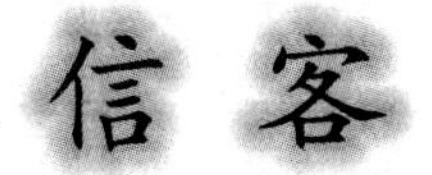
信客

1

英国哲学家罗素（Bertrand Russell）一九二〇年访问中国后，叹了一口气说:“在我们去打扰他们之前，人家一直过着安静的日子。”

他所说的“打扰”，是指他说话前八十年的鸦片战争。

战争的起点在广州。主张抵抗的钦差大臣林则徐被革职后，战争并没有停止。一八四一年夏天，打到了这个故事的发生地，浙江东北部的农村。第二年，清政府试图在这里反攻，又一败涂地。上海、宁波等口岸城市，在枪炮下向西方开放。

罗素所说的“安静”，没有了。

“口岸开放”后，西方商品倾销，工厂商店涌集，原来的自然经济快速凋敝，大批青年农民不得不到上海谋生。据统计，那时上海人口的增长，是全世界各大城市人口增长平均数的整整十倍。

上海大了，农村空了。但是，农村又不是全空。那些青年农民到上海打工，大多极端劳苦又极端贫困，几乎没有可能把妻子一起带走。即使几年后积了一些钱，可以带走了，家里的老人由谁伺候？因此妻子还只能留在乡下。农村，成了妻子们的农村。

说起来，上海并不太远。但按照当时的交通条件，却像是隔了千山万水。一对对年轻夫妻，都只能“天各一方”了。丈夫能不能每年回家几天？也不肯定。

很多历史学家一直在研究上海这座世界级大城市形成的原因。不知他们是否明白，这城市，是被无数单身丈夫的泥脚踏出来的，是被无数单身妻子的眼泪浸泡大的。

无论如何，两边的“单身”总需要牵线。中国人的立身之本，是亲情伦理。如果家里的长辈遭遇了病灾，对于外出的男子来说是天大的事情，怎么才能知道？怎么才能疗救？妻子在家要应付远近族亲间的各种义务，那又怎么才能让丈夫把劳苦钱捎回？如果夫妻间已经有了孩子，当然由妻子带在乡下，那又如何接济？

当代年轻人会天真地发问:“为什么不请邮局帮助？”麻烦的是，那个时候谁也不知道邮局是什么东西，又在哪里。中国农村千百年来“自给自足”,村里一个老大爷要拿一篮鸡蛋到两里外的小镇换一升盐，那已经是一件不小的事情。老大爷挎着篮子经过家家户户的门口，那模样，就像今天远洋轮的船长起锚出海。老大爷的儿子，也去了上海。有人问他，上海在哪里，他便茫然一笑，抬头看天。

总之，农村和上海，需要有人牵线。

如果没有牵线，农村就支撑不下去，上海也支撑不下去，两种文明都会崩塌。

因此，这些牵线人的艰难步履非常重要。其意义，不下于政治家的奔走，大将军的马蹄。

这种牵线人，就是我们的主角“信客”。

2

但是，信客的模样，一点也没有“两种文明支撑者”的影子。他们惯常的形象，非常狼狈。

例如我现在要说的那个信客，每次从上海回来，乡人就能判断，他是走了东路还是西路来的。走东路过来，显得极端疲劳；走西路过来，则显得特别窝囊。总之，都让人看不过去。因此，才四十出头，已显得比村里的同龄农民苍老。

走东路，比较简单。先从上海坐海轮到宁波，再从宁波挑担到家乡。从宁波到家乡有上百里路，当时没有长途汽车，只能步行。路上挑担的人不多，主要是挑着莱豆柴火，而他却挑着大包小包的行李。仔细看去，他身上还捆绑着各种物件。

路上如有强盗，见到他的这副模样一定不会放过，他就只能撂下担子奔逃。如果强盗只有一两个，他也可以抽出扁担抵抗一会儿。因此这上百里路，必须步步小心，眼观八方。这条路，走得快一点，两天可以到达，中间在一个叫沈师桥的地方找一家熟悉的小客栈过夜。挑着担子快步流星地走两天，劳累的程度可想而知，因此当他终于出现在吴山庙门口的高台上时，早已浑身湿透，步履踉跄。

走西路，那就不坐海轮了，从嘉兴、杭州、萧山、绍兴、上虞一路过来。这中间，倒是没有长达百里的挑担路途，而是一会儿雇乌篷船，一会儿搭短程马车，一会儿蹚水，一会儿越岗，断断续续、疙疙瘩瘩，很是麻烦。

这条路费时更长，要外宿三夜。虽然遇不到强人，但被各种扒手盯上的可能却很大。因此，当他从这条路走到吴山庙台的时候，总是两眼深凹，上下疲沓。

3

这位信客，个子比村里的农民高，瘦瘦的，走出去很有样子，却不知为什么一直没有结婚。听说他是外省人，从小失去了父母，由外婆收养，外婆就住在我们邻村。

外婆很有见识，也有点钱，很早就把他送到鸣鹤场的一家私塾读书。他很聪明，成了远近几十个乡村中识字最多的人。

外婆去世后他外出闯码头，没做成什么事。在上海几个同乡间转悠时，发现大家都迫切需要信客的活儿。这活儿以前有人做过，已经断了很久。大家都劝他做，他就承担了，而且越来越忙。

也有人问他，为什么不找一个安定的营生却偏偏做了最辛苦的信客？他的回答是："一头是没有了家的男人，一头是没有了男人的家。两头都踮着脚，怎么也看不到对方。我就帮他们跑跑腿。"

此刻，他正站在吴山庙门口的高台上。眼下，一个女人的村庄正炊烟缭绕。

他知道，村里的很多小木窗都向这里开着，应该有很多眼睛看着自己。

那年月，野地里人迹稀少，一个人高处一站，能牵住很大一片土地的目光，何况，这次他的出现，大家早就知道。因为五天前有一位叫余木典的同村人从上海回乡奔丧，已经有过预告。

本来信客很想让余木典也顺便带一点货品回来，但在上海的那些同乡都摇头，因为这里的风俗，让奔丧的人带货品很不吉利。因此，余木典回来时只带了一个贴身小包袱，走到吴山庙门口的高台上时，从小包袱里取出麻质孝衣，披在身上，然后便号啕大哭进了村。余木典在丧仪上告诉各家，信客过几天就回来，各家都有一些货品。

信客觉得，余木典家的丧事已过，这下该由自己带来一点喜气了。他在吴山庙门口的高台上放下担子，故意伸了一下手臂，再捋一下头发，就像在老戏台的入场口亮相。然后，叉开双腿，从头顶取下草帽扇扇凉，站一会儿。

晚霞在他身后。

如果是村里的年轻男人见了他这个样子，都会赶过来帮他提担子。但是，眼下一个个木窗里只有女人，正在灶头做饭。她们一见到他，就转身去梳头了。

梳头时还要抹些从树干浸泡出来的“生发油”,然后换一件像样的布衫。

如果信客还在村子里，她们一点也不会在意。但现在他是走了那么远的路回来的，又在上海见过了自己的丈夫，身上还带着丈夫托交的东西，因此要快快梳洗一下。

信客估计她们打扮完了，就弯腰挑起了担子。刚才歇过了脚，又有了力气。他摆正姿态，跨出了尽可能轻松的步子，让扁担两头颤悠起来。

从庙台到村子，三百多步，换两次肩，换的时候脸带微笑。每换一次肩，都要颤悠三下，每一颤悠迈一步，然后就有板有眼地走向村子。

已经闻到焖饭的香味，他肚子早就饿了。今天在半路上只吃了一个茶叶蛋和一碗光面，是用两盒火柴换的。一盒火柴能换一个蛋或一碗面，这是当时的工业产品和农业产品之间的一种“等值交易”。因此从上海出来，行李里塞一些火柴等于带了一袋干粮。但他这次出来，没有带够火柴。

信客在行李换肩时略有犹豫，先到哪家。到哪家，就在哪家吃晚饭了，这是规矩，大家都知道。

今天应该到余叶渡家，理由很简单，这次他家带的东西最多。而且，刚刚从村口看到，叶渡嫂已经在木棂窗口向自己招手。

信客脚下犹豫，是因为余叶渡家的斜对门，是余月桥家。余月桥在南京，因此信客这次肩上没有他家的货品，但月桥嫂做的菜最香，今天肯定有韭菜炒鸭蛋，已经闻到了。对饥饿的人来说，菜香，是一种难以拒抗的力量。更有一个暗暗的理由信客不能说，也不能想，那就是月桥嫂太漂亮了。

漂亮是一种很大的麻烦。信客对月桥嫂不存在什么杂念，只是想多看几眼，又觉得不好意思。月桥嫂并不知道自己有多漂亮，却像一切漂亮女子一样，特别容易害羞脸红。这一来，本想多看几眼的男人也就更为难了，似乎人家脸红是自己的“偷看”造成的，因此连自己也觉得不正经了。

其实这个村子里的女人都很好看，方言叫“齐整”，也就是一种不灼眼的漂亮。其中更出色一点的也有好几位，像村西的鱼素嫂、村南的满城嫂。她们的丈夫都在上海，都是信客的朋友。

信客马上要见到的叶渡嫂，样子却有点特殊。她长得比别人矮一点，胖一点，自嘲是“杨柳林下的扁冬瓜”。她很开朗，嗓门很高，经常大笑。她的丈夫余叶渡在上海生意做得不小，外出的人中算是最富裕的了，因此她也就笑得更响亮。她的表情，从来不会惹上“害羞”的成分，别人对她也没有忌讳。自从她生孩子后两个月就在大槐树下敞开衣襟给孩子喂奶，全村的目光对她更放松了。

叶渡嫂家的门，除了晚上，都不关。信客还没有进门，叶渡嫂已经拉住他担子的一头，大声说：“前两天木典已经说起，你今天可能会到。货品慢慢再点，先吃饭！”

说是“货品慢慢再点”，但她的声音还是落到了货品上。她兴奋地叫了一声：“又是一只热水瓶！”

信客说：“为了这只热水瓶，我一路上轻拿轻放，就怕摔坏，受大苦了！我在上海就对你老公叶渡抱怨，去年已经带过一个了，今年怎么又带。他说，去年那个是竹壳的，今年这个是铁皮的，不一样。你看你老公！”

“那匹红缎呢？”叶渡嫂轻声问。

“又是那个木典通报的吧？”信客把竖绑在担子上的一个长包袱解下来，搁在矮桌上，麻利地打开包袱。

一片灿烂的红色，把叶渡嫂的胖脸照得更亮了。她抱起那匹红缎，搂在胸前，走进了里间。

“好了，吃饭，你也饿了！”叶渡嫂从里间出来后立即到了灶头，端出几盘早就准备好的菜肴放在桌子上，让信客坐下，递过来一双竹筷。

“这碗糊货，我加了你上次带来的东洋味之素！”她边说边去盛饭。

叶渡嫂所说的“糊货”，是指卖海鲜的货郎每天剩在筐底的杂鱼杂虾，很便宜，又很新鲜。

吃饭的时候，门还是开着。才吃几口，叶渡嫂的眉毛抖了几下，因为有一股韭菜炒鸭蛋的香气从门外飘来。这香气很轻，却很浓，就像一个女子最含蓄的媚眼。

信客似乎没有闻到，埋头狠狠扒饭。叶渡嫂却看了对门好几眼，每看一眼都要回过头来看信客。她总觉得，那香气对眼前这个男人，不怀好意。

信客感觉到了她的目光，抬起头来，询问似的看着她。信客走的路多，不躲避任何女人的目光。

叶渡嫂笑着说：“听我老公说，他有一次与你搭伴从上海回来，你每个码头都有相好。据说绍兴那个眉眼最重，口气最近，这次又见到了吧？”

“什么相好！”信客连忙声辩，“都是一路上必须求靠的小掌柜。馒头铺掌柜、车马店掌柜，不认识寸步难行。”

“怎么都是女的？”叶渡嫂笑问。

“男的都像你老公，到城里谋生了。我们一路，只能找女子小店。”信客说。

“绍兴那位，有点意思了吧？”叶渡嫂还是追着问。

“她女儿拜了我做干爹，这次要结婚，事先也不知道，我倒是匆匆忙忙在当地备了一份礼。”信客说，“你看，认识人多，开销也大。我直到这次送礼，还不知道干女儿的大名叫什么。”

“给干女儿送礼，派头不能小，绍兴那边的行情是多少？我也要嫁女儿了，你说出来我听听。”叶渡嫂边问边将两个手指做着捻钱的动作。

“薄礼，区区薄礼，不值一提。”信客不想接这个话题。

没有酒，饭也就吃得很快。信客告别叶渡嫂，挑着担子到自己简陋的住所去了。

本来也打算当夜一家家去送，但今天实在太累了，想早点休息。更主要的是，信客喜欢看到家家户户都挤到他屋子里来领取货品的热闹情景。女人后面跟着老人，老人手上又牵着小孩，整个农村都在企盼着来自城市的礼物。这是家门大事，村庄大事，桑梓大事，全都由自己来送交，信客享受着这种重要。但当时农村没有电灯，这种重要场面只能出现在白天。

白天，应该是明天下午吧？上午醒不过来。他要把一路上的无限劳顿脱净在长长的酣梦中，只等明天下午，容光焕发地接受村人们的环绕和感谢。

4

信客这一觉睡得实在太沉，醒来，已是第二天傍晚。

西晒的阳光很明亮，他揉揉眼，看了一眼屋子里的那副行李担。但这一看不要紧，他发现两个竹窗外挤满了人。

他想，睡的时间太长，让村人等急了，便霍地一下从床上起身，呵呵地笑着，去开门。

但是，意想不到的事情发生了：村人们见到他都后退了一步，并没有要进门的意思。

这是怎么回事？他捋着后脑勺以为自己还在做梦。说时迟那时快，一位年迈的族长在村长的搀扶下，进门了。

信客不知所措地请族长和村长坐下，用眼睛询问着他们的来意。窗外，村人都在旁听。

族长先开口。

老人说："我们见过面，不熟。今天有几件不好的事情，要问你一下。"

"不好的事情？"信客满脸疑惑。

"昨天晚上，你是不是给叶渡嫂带来一匹红缎子？"族长问。

"是啊。"信客说。

"这红缎子是他们家用来嫁女儿的，这你应该知道吧？"

"知道。"信客说。

“那么，请你老实说，有没有在这匹红缎子上做过手脚？”族长直视信客。

“做手脚？没有啊。”信客答得很快。

“做手脚”三个字，在这乡间的意思特别恶劣，类似于偷盗、破坏，信客当然在第一时间否认。

“这就麻烦了，”族长说，“余叶渡怕你做手脚，特别在红缎子的头上画了一个小圆圈，又托前几天回乡的余木典告诉叶渡嫂。叶渡嫂昨天晚上细细查看了，没有小圆圈，那就是，红缎子被人剪掉了一幅，那会是谁呢？”

原来是这样！

信客立即回过神来，说：“你看我都忘了这件小事。前天过绍兴，得知我那干女儿要结婚，匆忙间临时买了些礼物，看着太素，就剪了一条红缎带子下来捆扎，图个喜气。那带子很窄，只有像大拇指那么宽的一条，没想到剪到了小圆圈。”

族长说：“你说剪得很窄，何以为证？小圆圈没了，这货品就残了。”

这一下，信客完全被打蒙了。

他闭起了眼睛，首先想起的是余叶渡和余木典。

他们与自己，不是一直“情同手足”吗？那个小圆圈，就让一切都变假了。

这假，假得痛彻心肺。

余叶渡，你画下那个小圆圈，只防我一个人，因为你清楚，这匹红缎不会再经别人的手。更让我伤心的是，你如果防我剪得多，完全可以几尺几寸地量清楚。只在头上画个小圆圈，就是为了防我。我把你当作兄弟，才在应急时动了一下剪刀，回到上海还会当一件可笑的小事告诉你，你却闹成现在这样！

这就要扯到余木典了。说起来，你和我的关系更密切，怎么成了一个暗送密报的人，对着我下手？本来你作为中间人，是可以让小事回到小事的，现在闹大了，你又躲到哪里去了？我知道，你还在村里，并没有回上海，为什么不出来说一句话？

你们，怎么能这样对待朋友？

但是，窗外的村人一定反着看，只认定信客用剪子剪坏了手足之情。他们都在称赞叶渡聪明，揭穿了信客的手脚。

他们和大多数中国民众一样，历来相信，谁被“揭发”了，谁就有罪。他们本能地站在揭发者一边，让对方在顷刻之间走投无路，成为过街老鼠。

在刚才族长问话的时候，村长一直没开口，只是直愣愣地盯着信客。现在，他把木凳子朝前移了移，对信客说:“今天上午听说这事后，村人聚集在晒谷场边议了议。大家觉得，既然有了一件事，一定还有两件事，三件事。他们问，去年夏天你说在上虞被强盗抢劫，三件行李丢失，是真的吗？前年冬天你说在新浦木船翻沉，一个包袱漂走，也是真的吗？还有……”

信客打断了村长，问：“这些，都是大家凑出来的疑问？”

“对。”村长说。

“每件事，我以前都解释得清清楚楚，当时还有证人，大家不是都相信了吗？”信客扫视了一下周围。

“到今天，全变了，没有一个人相信。”村长说。

信客摇了摇头，但又很快不摇了，也不再吭声。

这时，族长站起身来，把信客拉到一个角落，压低声音说：“还有私下向我递话的呢，听起来更不好听。”

“什么？”信客问。

“我这么大年纪也不忌讳了。说你虽然单身，却处处投情，与很多女人走得太近。绍兴那个赖不掉了吧？就是本村，你也有不少想头，像月桥嫂、鱼素嫂、满城嫂……”

“族长！”信客愤怒地喝断，“你老人家可以糟践我，却不能糟践这些女人！这个村，很干净！”

村长站到了族长前面，对信客说：“别争了，你把昨天带来的货品先分一下，完了就赶快回上海吧。”

“回上海？”信客想，“余木典今天还在村里，他回上海后会把红缎子的事情到处讲，余叶渡成了受害者。我，难道要向上海的同乡一个个解释？解释了，大家能相信我吗？不相信了，我还能做信客吗？”

他对村长说：“让大家都进来取东西吧，我分发。上海，我不回去了。”

5

这天晚上，信客没吃晚饭，一个人在木板床上坐着。

犹如五雷轰顶，他的世界突然崩溃了。

很长时间他什么也想不了，只是浑身发冷，微微颤抖。朋友散了，村人走了，而且永远叫不回来。

晕眩颠倒间，他渐渐有点苏醒，开始梳理事情。

起点很小，就是那把剪子，那条窄窄的红缎带。为什么完全没有放在心上？因为绍兴的婚礼太急，又把余叶渡当作了兄弟。

但这个起点确实有错，不管是不是兄弟，不能忘了自己是信客。信客有信客的规矩，逾越一步就不可弥补。

想到这里他拿起木桌上的那把剪子，咬牙向左手戳去。流血了，他看着。流得有点多，他起身找块手帕扎了一下。自己的错就在这一点，小得不能再小。其他错处，都不在自己。既然流过了血，就不再自责。

他回想着刚才族长和村长的话，好像一切都“跳进黄河洗不清”了。过去的所有行程，全都有了疑点。

最让人感到恶心的，是族长说自己与那么多女人有染。这肯定是叶渡嫂搬的口舌，她昨天晚上刚刚说过。

叶渡嫂对族长说了，当然更会对余叶渡说。余叶渡和余木典有暗约，余木典也会听到，也会传播。但是，这样的事情，谁能撇清？自己不能撇清，那些女人也不能撇清。

撇不清就是事实，撇不清就是罪证，这是乡人的定见。

一群固守空房的女子，一个随时可以登门的男子，当然是谣言的腌缸。况且，每次送货，总有一些东西不能给别人看到，总有一些小话不能给别人听到。窗一闭，门一关，没有荤传才怪呢，解释得清才怪呢。

想到这里，他突然站起身来。如果断定我与那么多女人有染，而她们的丈夫都在外谋生，听到了传闻会是多么愤恨！妻子一次次含泪自辩，丈夫一次次粗声诅咒，每一个家庭都蒙上了阴影！

信客颓然坐下，变得像一截木头。

转眼间，自己已经去不了上海，也留不了村里。几个站不住的谣言，已经使自己无处可站。

6

乌鸦叫起来了，先是一只，接着是两只，很快就叫成了一片。信客看了一眼竹窗，月光倒是很亮。

从傍晚醒来时看一眼竹窗，到现在再看一眼，中间也就隔了三袋烟的工夫吧，一个人全毁了。毁得身败名裂，毁得片甲不留，毁得灰飞烟灭。

毁一个棚、毁一个笼、毁一个缸，都没有那么快。毁棚、毁笼、毁缸还需要一锤锤敲，一点点拆，毁人不用那么麻烦，几张嘴一递送，就完成了。

人对人的清除之力，实在不可思议。

但信客不甘。我是一里里路走下来的，我是一个个包背出来的，我是千百句叮嘱、千百遍笑容、千百番安慰慢慢煨出来的。毁了我，没有理由，更没人替代。

没人替代，这可是大事。没了我，那些外出的丈夫怎么办？

那些守家的妻子怎么办？

毁我的人其实毁了自己，但他们不会这么想。看起来一点也不奸诈的老乡，毁弃他们离不开的恩人，反而有一种特别的痛快。等到无法弥补了，他们只抱怨不便，却不会后悔。

但是，我要为他们想。

想来想去，一定要找一个豁口，让他们开始冷静，开始细想，然后，有可能慢慢地回心转意。那么，这个豁口在哪里呢？

唯一的办法，是到绍兴，把那条扎礼物的红缎带找回来，让大家看一看，到底有多宽。

这晚他没怎么睡，第二天凌晨，天还没有怎么亮，他就轻轻地推开门，出发向西，去绍兴。他怕村里人看见，以为他是“畏罪潜逃”，因此要抢在家家户户开门前蹑手蹑脚地离开。但他又知道，那些窗户里一定有一些早起的老人看到了他。那么，蹑手蹑脚的样子又会大大印证他的邪恶。信客觉得，他已经不能有任何动作了，一举手一投足全都是错。那么，他必须赶快扑向绍兴，找到那条红缎带，那条有可能为自己洗冤的红缎带，那条比生命还重要的红缎带。

如果按照正常速度行走，到绍兴要两天，中间在上虞宿夜。但今天信客不能宿夜，他必须当天赶到。于是，他疯狂地走，一路上很多人都在看他。但在他眼里，今天所有的路人都不怀好意，因此他要走得更快。走出这个老头奇怪的眼神，走出这个女人奇怪的回头，走出这个青年奇怪的笑容。一路都是芒刺，一路都是荆棘，他只是咬牙快步，不在一处停留。

终于，在早已掌灯的夜间，他走到了。他来到一扇熟悉的黑漆木门前，伸手拍打。先轻拍，再重拍，拍了好久，直到邻居一位老太太出来说："这家没人。"

"没人？"信客用怀疑的目光看着老太太，我前几天刚来过，热闹得很。

老太太说："女儿一出嫁，那娘就到杭州照顾老公去了。"

信客颓然点头，老太太就关门进屋了。信客再看这扇刚才拍打了很久的黑漆木门。婚庆的剪纸和喜联，还贴着，都是大红色。他，只是参与了这大红色，参与了一点点，却把手粘脏了。

照理，他应该打听他干女儿夫家的地址，找过去。依稀记得，干女儿夫家是绍兴城内的殷实大户。我如果找到了，该说什么，做什么？

我只能对干女儿说，前几天送的礼物还在不在，有没有拆开？

这一来，干女儿和她的丈夫，也许还有夫家上下，都会非常惊奇：怎么，你要把结婚的礼物要回？这在绍兴，可是一种极不吉利的诅咒。

"不，不。"信客当然会立即解释，"我只要那条扎礼物的红缎带！"

这就更让干女儿惊讶了。在绍兴，收了别人送的礼物却原封不动地捆扎在那里，连整理也没有整理，那就等于没有接受。干女儿也许会非常难过地看着他说："干爹，你不能这样来测试我吧？"话没说完，已经泪流满面。夫家见到这种情状，一定会把信客拉到一边，把他看成一个别有用心的人，把他支走。

——这一切，信客在路上居然都没有想到。一急一气，人的头脑就会发木。现在想到了还来得及，只到了这扇紧闭了的黑漆木门前面，只惊动了一位邻居老太太，没有到干女儿的夫家去。总算还好。

信客一下子蹲坐在黑漆木门前的路沿砖块上，已经站不起来。人累，心更累，他整个儿虚脱了。

到了后半夜，他能站起来了，摸着街墙找了一家以前住过的小客栈。客栈老板见到这位熟悉的信客居然变得那么虚弱、萎黄、失神，大吃一惊。

在小客栈住了两天，体力略有恢复，他又上路回村了。

一路上，他都在想一件事。自己肯定没有资格做信客了，那让谁接呢?

他突然想起了一个人。住在村北的外来户宋家的儿子，好像叫宋达吧。在上海见过,还是自己把他送到轮船码头回乡的。小伙子二十出头，人不错，也有文化，在上海没找到工作，想回家务农。

信客回村后，摸到村北宋家，果然，宋达在。

宋达满眼同情地捧住了信客的手。一看就知道，他已经全部听说。

信客说:“不用同情我，我也不会向你解释。但这些村子不能没有信客，你来接! ”

信客要宋达到自己家里去坐一会儿，好好谈谈。天下的受屈人都无法自辩，但当他们放弃自辩后却有一种奇怪的魔力。没几句话，宋达已经跟在信客后面了，踩着高一脚、低一脚的泥路，来到那间小屋。

7

信客对宋达说的，还是那句老话："一头是没有了家的男人，一头是没有了男人的家。两头都踮着脚，怎么也看不到对方。"停顿了一下，他说："总得有人帮他们跑跑腿，尽管两头不讨好。"

宋达没有点头，没有言语，只是听着。

此后整整两天，信客细声慢气地告诉宋达，附近几个乡村有哪些人在外面，乡下各家的门怎么找，城里各人的谋生处该怎么走。说到上海、杭州、宁波、绍兴、苏州、南京这些城市的街道时，信客显得十分艰难，他只得拿出纸来，画出一张张简单地图，再把乡人的落脚处一一标出。

宋达从小在外读书，对附近乡村外出谋生的人很陌生。信客不厌其烦，说出一个个人的大名、小名、绰号、年龄、长相、肤色、高矮。

顺便，把各人的脾气和习惯也都作了介绍：

"这个人让你带一包东西，就像带一个刚出生的婴儿，要唠唠叨叨说上一个时辰，你逃也逃不掉。说少了，他不放心。说完了，刚走，他又会大声把你叫回去。

"这个人的脾气刮辣松脆，塞给你一个包裹，三句话就了结。你再想问一句，他已转身走了。

“这个人最小气，叫你送东西，他又称重量，又算距离，精细得像一个账房先生。但你不要讨厌他，这么多年来，唯一不拖欠脚头费的，就是他。

“这个人有点刁。请你送一次东西,他要捎带上沿途各地的很多亲戚朋友，一件件小零碎，他都不算在脚头费里了。帮他走一次，等于帮人家走三次。但他倒也是个热心人，乡人有了七灾八难，找他，一定管用。”

……

把这一切都说完了，信客又告诉宋达，沿途可住哪几家小旅店，旅店里哪个茶房比较仗义。还有各处吃食，哪一个摊子的大饼最厚实，哪一家小店可以光买米饭不买菜。

信客在说一路食宿的时候,表情最为丰富。一些点心让他赞不绝口，一些伙计让他笑逐颜开，又不时轻轻加一句:“这个掌柜是女的，那才叫漂亮。”说的时候，眼中有一种特别的光彩。

终于，他长长叹了口气，所有艰辛和美丽的旅程，就此了结。

这两天，宋达很少说话。他一直没有表明，自己是不是答应接班。信客也不想让他开口，怕他拒绝。

因此，信客故意用滔滔不绝，来堵宋达的口。

最后，他站起身来对宋达说:“你的名字好，宋达，就是把一切都送到。”

宋达说 :“回去要好好想一想。如果接手，我会接济你的生活。”

“不用，”信客说，“我到上岙看守墓地。原来的看守走了，我补上。报酬也不错，你不用担心。我也走累了，正好由大动归大静。上岙墓地，在南边深山里。今后，信客不再是我，而是你。我就叫老信客吧。”

8

看墓地，其实是防止盗墓。

盗墓，当然只盗有钱人家的墓。但是，方圆几十里地的几十个乡村间，有钱人家不多，只有二十来家。这二十来家的祖坟，都曾先后被盗挖。这在中国的宗亲观念看来，是撼天动地的大事，因此家家都忙着重修坟墓，重雇看墓人。

看墓人当然不必每家一个，于是一次次集资，以颇高的薪酬来吸引有能力阻吓盗墓者的人。但是，已经换了好几个，都未能阻止盗墓势头。

换来换去，都是在走“强悍”一路。前年选定的看墓人，是一个退休的“乡勇”首领。般般兵器都会，夜夜不离酒坛，而盗墓者的上班时间恰恰是在夜间，结果可想而知。去年选定的看墓人，是一个刑满释放的帮会杀手，目凶嗓哑，胸毛森森。但是，盗墓者并不是来与他格斗的，他的架势吓不着根本不想见着他的人。

老信客由两家墓主人推荐，理由是他颇有智谋。其他二十来家墓主人同意“试试看”，尽管大家有点失望，因为他未涉行伍，不懂兵器，目光温和，嗓音寻常。

老信客一到，想了想，先做两件事。一是调查方圆几十里地的盗墓者，调查结果是七个，其中比较主要的是四个；二是调查离墓地最近的正规武装所在，调查结果是五里路外的一处乡勇哨所。

于是，他把墓主人集资的薪酬一分为三。自己留一份，第二份馈赠给乡勇哨所，第三份设立一个“墓园公护团”。

乡勇哨所长年无事，又穷落潦倒，得到馈赠大喜过望。老信客只需要他们每夜巡逻时多走点路，到墓园转两圈；

“墓园公护团”由墓主人代表、耆老乡贤和那四个主要盗墓者组成。老信客牵头，每年开会两次。那四个盗墓者为洗刷污名，非常乐意参加。老信客又作了一个许诺，凡是公护团成员，身后筑墓，可享向阳坡地。

这些事情，老信客都是在一个月之内做成的。在这一个月内，他又请一位墓主人家里的几个佣人，把自己的山上住所整修、打扫得十分舒齐。还请了另外一位墓主人家里的几个佣人，把住所周围的山路、阶梯、花坛也收拾得比较人眼。他知道这些墓主人，出于孝心孝行，只要墓地有事，一定全力以赴。

现在，连再傻的墓主人也知道，凭着老信客的这几项措施，他们可以真正安心了。因此，他们又集了一笔钱，来补充老信客一分为三后的不足，还给他安排了一只两天送一次的“食篮”。老信客婉拒了薪酬补充，说自己已经没有开销。“食篮”倒是接受了，但声称自己能做饭，送过来那么远，五天一次就足够了。而且，由于长年习惯，希望“食篮”所送，以素食为主。

安排好一切，老信客就放心地去巡视墓地了。

墓地里的坟墓，与当时中国各地的坟墓一样，都是一个土丘，前面竖着一面长方形的石碑。石碑的正中，都是由正楷毛笔字写着亡故者的姓名。这个形制，太像信客天天送来送去的那些老信封了。也是一样的竖直长方形，连长宽的比例都差不多。也是一样的正楷毛笔字,正中写着归属者的姓名。只不过，信封上某某先生“收启”的字样，在这里改成了某某先生“之墓”，只有两字只差。

蓦然看到那么多石质的“大信封”直愣愣地竖在自己眼前，老信客不禁一笑。

他想：原来，这是他们最后的信封。只是不清楚此刻安眠在土丘中的主角，究竟是收信人，还是寄信人？

他想：不管是收信人还是寄信人，这些石料的信封是再也打不开了。里边会有多少话语？不知道。

他想:让一个老信客来看守墓地，这是天下最合适的事情。

这么一想，他巡视墓地的脚步变得轻松起来。

对了，眼前这个墓碑写着“张剑攻先生”，不就是庙湾村的张胡子吗？张先生嫌自己的本名杀气太重，又是父亲起的，不能改，宁肯大家叫绰号。只有我知道他的本名，因为我给他送过几次信。

张胡子本是张家桥富人，靠种桑树和养蚕起家，但乡人皆知，他被独生儿子活活气死了。

原来，儿子闯荡上海后一次次向家里索要不少钱财，老信客都经手了。记得一开始儿子说是要与人合伙开厂，很快就能“回本”。张胡子一听兴奋了很久，立即叫老信客把钱带到了上海。但后来，渐渐感到有点不对了。儿子一会儿说合伙人卷走了本钱去了外国，一会儿说自己陷入了一项意想不到的债务，一会儿又说税务局要扣人……每次都是由老信客心急火燎地来传信，但老信客总是越说越含糊，好像很对不起张胡子。

张胡子也越来越怀疑儿子全在欺骗，只得拱手拜托老信客在上海追踪儿子的不良行迹。但是，老信客虽然百事不拒，却哪里接受过追踪的训练？也就是在那个儿子住处的附近东张西望了几回罢了，全都一无所获。

张胡子就这么一个独生儿子，而且是“三代单传”，只能咬着牙齿去堵那个越来越大的无底洞，连桑园、蚕场、土地都一一变卖了，已经卖得神不守舍。直到最后，急火攻心，一命呜呼。所有的亲戚乡邻都确认他是被儿子“骗死”的，使得儿子在送葬之后再也不敢回乡。

但是，老信客终于在上海把事情弄清楚了，张胡子的儿子没有欺骗，说的全是真话，现在已成为上海的一个大企业家。

老信客告诉乡亲真相，乡亲都不相信。或者说，都不愿相信。那儿子为父亲选用了一种最讲究的汉白玉墓碑，乡亲们鄙夷地说，这墓碑就像他人，又冷，又滑，又不合群。

此刻老信客看着这方墓碑想，这显然是儿子写给父亲的最后一封信，内容深奥，无人能读。

虽然无人能读，老信客也要凭着自己的阅历，严厉地谴责那个儿子。生意之初，本钱窘缺，求诸父亲，无可厚非。但你为什么要如此着急地“成功”？你父亲虽然有点钱，却只是乡间富人，完全不明白上海十里洋场的工商风浪，哪里受得住你毫无阻挡的一次次席卷？你希望以后加倍报答，但生亦有限，寿亦无待，你能报答的，只是一方墓碑。

讲究的汉白玉是表达一种愧疚吧？但让你更愧疚的是，由于墓碑过于惹眼，你父亲的墓，也成了盗墓者反复光顾的重点。

老信客用手抚了一下又冷又滑的墓碑，希望世人能领悟一点碑外之意。

离张胡子的汉白玉墓碑不远，是钱夫人的细纹麻石墓碑，雅致、低调，就像她的为人。

钱夫人住在二十里外的夏霜堰，是从宁波一个望族嫁过来的。从小家教很好，所以大家都用乡间不流行的“夫人”来称呼她。老信客见到时，她已经年逾花甲。

钱夫人早年丧夫，培养儿子在上海读书、求职，儿子也出落得一表人才。但是万万没有想到，儿子居然与娱乐场中的一名舞女结婚了，钱夫人想尽各种方法阻止，都不起作用。这是老太太晚年最痛苦的煎熬，使她无颜出门，无语会亲。连儿子几度回家乡探望，她也坚决不见，只把自己紧锁在内房里不出来。她怕儿子身后，跟着那个“狐狸精”。在这么严峻的情况下，母子间如有什么大事，也只能靠老信客中转了。

钱夫人对老信客说得哽哽咽咽、气恨难平。“我听人说，那舞厅，都涂脂抹粉，当众搂抱，实在是辱没了钱家的门风！”她让那想象中的脂粉和搂抱，紧紧困住了几十年，怎么也摆脱不了。

但是，那个儿子还是要赡养母亲，老信客也少不了去登门拜访。几年下来，老信客发现钱夫人完全搞错了。她儿子在上海没有正当职业，长期沉身赌博。那个儿媳妇虽然在年轻时做过舞女，却是天下最贤惠的妻子。靠着自己辛勤地办幼儿园、开小餐厅，不仅还清了丈夫的赌债，而且把两个儿子培养成了大学生。老信客见到的这位儿媳妇，已经是四十多岁的中年妇女，不断地打听乡下那位把自己看作“狐狸精”的婆婆的起居饮食，巨细靡遗。最后，连这方细纹麻石墓碑，也是她亲自定料、设计的。

老信客看着墓碑轻轻摇头，心里叹一声：两位高雅女子，都在供奉着一位无聊男子，却一辈子未能见面。只留下这封石凿的密函，又显得那么矜持、犹疑。她们能够互读吗？不知道。

走过张胡子、钱夫人的坟墓后，是一些普通坟墓，因为那些家里无人外出，老信客也就不认得了。

有了，前面是黎家兄弟双墓。一度远近传闻，现在大家都不记得了。老信客如果今天不看到，也差点忘了。

河西黎家宅的这对兄弟，是双胞胎。长得非常相像，连父母也要细看才能辨别。小时候，常常因为弟弟犯事，父母错打了哥哥，或者反过来，弟弟代哥哥受过。长大后，哥哥到日本留学，弟弟在上海念书，相隔很远，就没有机会搞错了。

抗日战争爆发后，弟弟参加了一个“铁血锄奸团”，有一次蒙面射杀了一个黑帽低扣的汉奸，自己也当场被汉奸的护卫射死。待到验尸，发现两者居然一模一样，由于衣衫已经剥除，谁也分不清他们各自的身份。折腾好久才知，他们是双胞胎。由于两人已经难分彼此，不知如何安葬，最后由同乡会决定，一起葬回家乡。同乡会选定的护送者中，有老信客。

当时老信客想的是：汉奸也有家乡。一回家，更知道自己做错了。何况，与英雄的弟弟在一起。

现在老信客想的是：两个墓碑都太小、太寒碜了，而且也不知道墓碑上的名字与墓内的躯体是否同一。干脆把他们合成一墓，立成一方墓碑算了。

这就像，两封一起发出的信，不知怎么走了一个岔道，绕了一个大弯，又都寄回来了，那就不拆了，用一个大信封装在一起，藏下。

是的，墓地就是一个藏信的所在。藏下各种各样的信，藏下千奇百怪的信。别人读不懂，我老信客也读不懂，却又似乎有点懂。那么，我不来，谁来?

9

宋达上路后，一路都遇到对老信客的问询。大半辈子的风尘苦旅，百里千里都认识他。宋达在半道上遇到任何麻烦，只要说是“老信客的徒弟”，总能换来很多笑脸，事情就好办了。

一个风韵犹存的食肆女掌柜看着宋达说:“什么徒弟，该是儿子吧，都长得那么帅！”

另一个正在与女掌柜说话的年轻女子接着说:“你说他们帅在何处？除了身材，就是步态。他们两辈人走路，既有城里人的分寸，又有乡下人的劲道，合在一起，就入眼了。”

年轻女子压低了声音问食肆女掌柜，但宋达还能听得见：“你和老信客，混了那么久，就没有一腿？”

食肆女掌柜说:“腿倒是没有，就是丢风眼，说风话，但不过分。”

“不过分？没那么太平吧？”年轻女子说。

“其实也有点过分。我给他的碗里多放两块臭豆腐,他就看着我的头发说好话。我再给他多加一片鳗鱼干，他就让我走开两步，从头到脚打量我的身材，然后就说风话。”

“什么风话？说来听听！”年轻女子缠着不放。

“他总是说，你老公有福了。然后又把我从头到脚看一遍，眼光有一点不正经。”

年轻女子说：“只有自己不正经，才能看懂别人的不正经。你对他也有一点意思吧？”

食肆女掌柜说：“意思是有，只有一点。我们是吃饭的地方，要做坏事，不方便。”

“坏事？是好事吧！”年轻女子调笑。

“好事坏事，要倒着看，反着说。”食肆女掌柜抿了一下嘴。

宋达听她们这么胡言乱语，还不知道会怎么说下去，便笑一笑，走开了。他由此知道，师傅大半辈子所走的路，有风沙泥泞，也有桃红柳绿。

这时，在大岙墓地里的老信客，正夜夜失眠。他在黑暗中睁着眼睛，迷迷糊糊地回想着一个个码头，一个个店铺，一个个面影。

听到屋外响起来风声雨声，他会立即起身，手扶门框站一会儿，暗暗叮嘱宋达一路小心。山间的风雨总是特别狂暴，如山呼海啸，惊天动地。

早晨，风雨停了，老信客会在崖口巨石上坐一会儿，看着那条小小的黄泥路。山外有人进来，远远就能看到。

逢到过年、清明、重阳、中秋、冬至等等节气，熟识的村人都会来送一点食品、蔬果。

那些漂亮的村妇也不怕翻山越岭，一次次由孩子们陪着来探望。老信客以前特别赞赏的月桥嫂、鱼素嫂、满城嫂都来过很多次。

她们年岁已经不小，却依然婀娜多姿。从她们一进山，老信客就远远地看到了。看她们婷婷袅袅地提着大大的竹篮子行进在苍茫的山林之间，向自己走来，老信客喜不自禁。

10

有一天，老信客看到两个男子进山了，看了一会儿他就回身到住屋，把门关上，再从外面锁门，自己则翻到上一层的山峦中去了。

他已经认出,这是自己过去“情同手足”的余叶渡和余木典。

余叶渡和余木典两人，在玩那个小圆圈伎俩的时候，只是显摆自己的聪明，并没有考虑到后果。他们其实很清楚老信客的人品，那么多年，从来没有贪小之嫌，但是他们很想抓住老朋友的一点“小把柄”。

这在生活中很普遍。熟人间发现其中一位早年曾从盲人小贩的筐子里多拿了一个鸡蛋，就会嘲谑半辈子。“闺蜜”中，一个小姐没有把手镯还给分手了的男友，也会成为长久的话题。但是，当余叶渡和余木典发现事情已经闹大，他们也吓着了，躲了起来，没再为老信客解围。其实，这倒是真正的大错，比那个小圆圈严重得多。

直到他们一步步看到，老朋友已经因为自己的胡闹而失去了工作，更是不知所措了。这种不敢担当的当事人，让人间灾难失去了关闭的阀门。

随着年岁增大，经历增多，他们觉得应该偿还一些债务了。家人、乡人、朋友们，也都从旧梦中醒来，不断在他们耳边叨咕。

他们两人多次给老信客写信，又托人祈求原谅，老信客都没有回答。这次他们一起回乡，到墓地来登门请罪了。

但是，老信客还是不想见他们。

并非还在记恨，而是害怕尴尬。

世上很多昔日老友的心结是没法解的。即使内心已无障碍，却也找不到和解的语言和表情，那就只能放弃了。

老信客此刻躲在高处的山隙处，看着余叶渡和余木典高喊低呼、徘徊往返。他心里说的是：“下山吧，两位兄弟，别喊了！”

老信客最盼望的，是宋达。

宋达每次回乡，总要想办法进山来看望老信客。老信客催逼似的急问着山外情势，各地老友。宋达的回答使他一次次大笑不止，但又神情黯然。

总的说来，坏消息比好消息多。这路，比以前更凶险了。

宋达说，根据师傅的经验，加上自己的体会，他制定了几项行为规则。例如，第一，在每个城市聘请一位同乡做“保人”，收接任何货品，必须有“保人”在场，而且立下明细清单；第二，货品送达时，也必须由一个成年乡人作为“第三者”在场；第三，永远不与接收货品的女主人单独长谈和餐食，见面时须有婆婆或孩子在场……

信客一听就笑了：“这不是我的经验，而是我的教训。”

“这职业，可能长不了啦。”宋达说。

“怎么回事？”老信客问。

“大城市已经有了邮局。现在还只是城市与城市之间寄送，一时还到不了乡村。但迟早，会散布开来，至多二十年。”宋达说。那时的时间估算，都比较缓慢。

“二十年？我等不到了。”老信客说。

“你在深山白云间，一定长寿。问题是我，好像不能光给城乡夫妻做跑腿了，要做点别的事。”宋达说。

“有苗头了吗？”老信客问。

“有两件事，都很大，也很险。我已做成一件，另一件正做了一半。”宋达想说下去，却下意识地看了看窗外。

“这里尽管说，十里之内没有耳朵！”老信客笑着说。

宋达所说的第一件事确实又大又险。金山卫的一小股土匪，俘虏了一名小汉奸，说出了日本侵略军的一个动向。土匪也爱国，知道这个情报必须送给国军将领，但他们没有路，急急打听，知道有一种人叫“信客”，能够千方百计把信件送达。于是再打听，终于通过一个熟人找到了住在金山旅店里的宋达。宋达立即四处询问，找到上海市区的一个国军司令部，送上了这个情报。

“这次送达，使你这个宋达变大了。”老信客说，“另一件呢？”

宋达所说的第二件事比较复杂。他在上海逛书店的时候见到一部十分畅销的历史通俗演义，一看署名是浙江萧山一位柴先生写的。他那次正好要送货品到萧山，顺便去拜访了柴先生，才发现，上海书商把这位先生蒙在鼓里了。柴先生是一位传统的乡间书生，宋达出于公道，帮他做了一些交涉。

“势头怎样？”老信客问。

“事情有转机，但书商还不爽快。”宋达说。

“好！”老信客又点头了，“我们信客，平常送小信，有时也送大信，那就是天下公信！”

这天，老信客看着宋达下山的背影，很是满意。但是心头也泛起一阵苍凉，你看这个宋达，走路也不利索了，真是长途催人老，岁月不饶人。

已经是深秋季节，刚才问了宋达身体状况，说是风湿病、胃病都不轻。这是信客的职业病，自己早就有了。但现在，自己毕竟年迈，又多了几种，连心脏也不好。这一想，老信客又有点自我庆幸，早早地安顿在这半山上了。如果一直还在路上，突然因病而止步，那就悲哀了。

11

宋达在办完那两件大事后，日常还是在城乡夫妻间跑腿。这事儿，年轻时做做还可以，待到自己也已经两鬓斑白，就有诸多不便了。

这年，在无锡谋生的一位同乡突然暴病而亡。他在家乡只有一位没有出过远门又不识字的妻子，还有两位老人，都不可能到无锡料理后事。但在无锡，又很难找得到同乡帮手。因此，只能选一位最有办事能力的年长者去。选中的，就是宋达。

当时在同乡眼中，宋达已经是“年长者”。

宋达对无锡也不熟悉，料理完种种后事已经累得筋疲力尽。好不容易扶送棺木到了乡下，停在一处，他还要充当“报丧”的角色。

“报丧”是穿一身黑衣，手夹一把黑伞，伞柄朝前，低头快步朝死者家里走去。据说，“客死异乡”的人如果没有这么一位报丧的人，灵魂就不能回乡。

宋达按这种仪式来到死者家里，满脸戚容，尽量用委婉的语气向家门通报噩耗。可怜的妻子和老母哭得昏厥过去，宋达都不能离开。等到妻子回过神来，便咬牙切齿地咒骂城市，咒骂外出，连带也对宋达大声呵斥。宋达只能低眉顺眼，听之忍之，连声诺诺。

过一会儿，宋达还要把死者的遗物送去。死者的妻子和两位老人都会把这堆简陋的遗物当作死者生命的代价，怎么也不相信只有这一点点。红红的眼圈射出疑惑的利剑，宋达浑身不自在，真像盘剥了多少财物一般。直到他流了几身汗，赔了多少罪，才满脸晦气地走出死者的家。

怪谁呢？信客，肩上挑的不仅仅是货品，而且是家家户户的死生祸福。你，推不掉。

尽管，宋达的年龄，比死者还要大好几岁。

这事总算过去了，宋达想换换心情，为村子里最漂亮的少妇送一封信给上海的丈夫，顺便带一点新采的茶叶和竹笋。

最漂亮的少妇，就是月桥嫂的女儿。她们母女俩，撑起了方圆几十里地的美女支架。性格也差不多，羞涩，脸红，笑多，言少。女儿的丈夫在上海做得不错，已经是一个小老板，宋达见过。

宋达在上海按照地址，很快找到了小老板的住所。

房门是一个女人开的。女人烫着大波浪的卷发，衣服穿得很少。在她背后，是两条横拉着的细绳，晾挂着几件女人的内衣。宋达以为敲错门，正准备低头道歉，却在晾挂着的内衣下面，见到了光着上身的小老板。小老板也看见了他。

宋达见到小老板便皱起了眉头，重新打量那个女人。

那女人，不算丑，但与月桥嫂的女儿相比，却是天差地别。男人到了一个陌生的高地，就会对那里的女人高看一眼。甚至，不是高看一眼，而是美丑大颠荡。例如，这个小老板农村出生，见到上海的大波浪烫发已经自矮半截了，更经不住高跟鞋、口红、旗袍的冲击。于是，等手上有了点钱，就失去了方寸。

这种进城后的错乱，比较普遍。不止他一个人，都会认为头顶上那个刺眼的电灯，比家乡柳荫下的月色更漂亮；马路边那座水泥的厂房，比家乡秋风中的峰峦更神气。

但宋达已经没有这种错乱。他走遍各地，见多识广，早早地洗去了表面的惊讶、外在的诱惑，在层层对比中知道了真正的大美大丑。你这个小老板在外面乱找女人我管不着，但问题是，你的妻子在我心中是江南最出色的女子，这我就要管一管了。

一股怒气从宋达身上升起，不是为了道德，而是为了乡间的美丽和羞涩。但这毕竟是下一代的事情了，他很克制地用男低音说："我是宋达，从家里给你带来了茶叶和竹笋。"

小老板知道宋达一来就必然坏事，居然开口就说："什么宋达，我不认识，你走错了！"

这下宋达真来火了，说："我没走错，这是你妻子写给你的信！"

信是那位同居女人拆看的，看罢就大哭大嚷。小老板为了平息那个女人，就说宋达是私闯民宅的小偷，拿出一封假信只是脱身伎俩。说着，还把他扭送到了马路对面的巡捕房。

宋达向警官解释了自己的身份，还拿出几个同乡的地址作为证明。传唤来的同乡很容易把他保了出来，他却关照同乡，不要把事情传回乡下。在当时的中国农村，妻子很难因丈夫的风流提出离婚。既然如此，还不如不让她知道。

宋达经历了这两件事，报丧的事和进巡捕房的事，实在深感疲惫，几乎疲惫得站不起身来了。

他经过几天思虑，郑重地决定不再做信客。好在现在他的离职，与多年前老信客的离职已经很不一样。交通便捷了，人流通畅了，城乡夫妻间的信息传递、货品往来，有了更多的路。

12

正是在宋达考虑离职的那些日子里，发生了一件意想不到的事情。

那个把宋达扭送到巡捕房的小老板，受到了警官和同乡的训斥。那位同居女人知道真相后，也已快速离去。

他在极度后悔中几度向家乡试探，如何让妻子能够原谅他。

得到的消息让他大吃一惊：妻子压根儿不知道。

“宋达回乡过没有？”他问上海的同乡。

“他现在就在乡下！”同乡说。

“他没见过我妻子？”小老板问。

“怎么没见过？一个村子，抬头不见低头见。”同乡说。

“他没说上海的事？”小老板问。

“上海什么事？”同乡反问。

这一来,小老板不能不对宋达高看一眼。他又一次回乡了。

小老板在老家门口的杂树林中抬头冥思：这个信客，这个从巡捕房铁门走出的男子，被众多同乡簇拥着，消失在上海的闹市间。本来小老板早已想好，宋达受了那么大的冤屈，全是因为自己，不管他怎么报复，自己都应该接受。但怎么也没有想到，他“以德报冤”，而且毫无痕迹。

小老板在感动中细看妻子,妻子的脸顿时红了,目光一垂，又抬起像纯水般明丽的双眼，笑眯眯地看着自己。妻子果然漂亮，只恨自己毫不珍惜。

他迟疑了几次，向妻子坦白了自己的失足。没想到，感到羞涩的反而是妻子，一下子脸红到了脖子上。她似乎觉得很抱歉，怎么不小心让丈夫做了这么让人害羞的事。

小老板不知道该怎么感谢宋达。

小老板的生意，正好有一宗与刚刚正在铺开的邮局事务有关。他好说歹说，再三让利，终于使浙江省的邮政版图通向家乡的时间，大大提前了。

不久，小镇百货店的柜台上，出现了一个绿铁皮箱子。铁皮箱子上部有一条横口，可以把信件投进去，寄到四面八方，这叫“邮箱”。

如果要寄物品，也可以在这家百货店办理。

这一来，宋达不再做信客，就顺理成章了。

方圆几十里,熟悉他的人很多。他不做信客,也闲不下来。正好县政府决定要在乡间办几所新式小学，他被推荐去做了教师。

由于教师难找，他在小学里的任务很重。要承担国文课、历史课、地理课和常识课。

13

终于要走一条全新的路了，他立即想到了深山里的上岙墓地。老信客已经去世好几年，就落葬在那里，他要去祭拜。

老信客还在世的时候，墓地由上海一批同乡集资，已经进行了一次规模不小的修建。现在已经很成气象，有好几个管理人员。

管理人员说，当年墓地修建的集资者中，有余叶渡和余木典的名字。他们投资，本想是让自己抱愧终生的老信客能有一个更像样的居息之所。但在讨论规划时，他们终于明白，这也应该是自己的归息之地。果然，他们两人比老信客更早去世。

余叶渡和余木典都是在冬天去世的，先后隔了一年。

记得那年余叶渡的棺木运来的时候，满山都被大雪覆盖。当时还在世的老信客拄着拐杖，到山口迎接，他浑身也被大雪遮了个银白。在那个红缎圆圈事件后，他一直没有与余叶渡见过面。

老信客已经满头白发。他没有蓄当地老人通行的山羊胡子，而只任络腮胡子像板刷一样平平地铺展开来，因此脸的下半部，也是一片均匀的雪白。他身上披一件泛白的灰白长衫，远远一看，整个山口，冰雕玉琢。他融入了山，他融入了雪，也融入了天。

或者说，他就是山，他就是雪，他就是天。

他代表一切，迎接失散多年的老朋友，回归天地之间。

一年后的冬天，余木典的棺木也运进了山口，情景几乎相同。整个山口，又一次冰雕玉琢。浑身银白的老信客为这种时间上的巧合惊呆了。

“明年，该是我了。”他说。

果然是这样。

他的葬礼的主持者，是宋达。乡人来得极多，在山道上看不到尽头。

已经好几年了,那个葬礼,至今还是乡人们经常重复的话题。

后来，乡间有好几个葬礼都来请宋达主持，宋达都没有答应。他本是最好讲话的人，有求必应，但在这件事上，他要保持对老信客的单一崇敬。

今天，宋达向老信客的墓奉上三炷香，又跪下叩首。然后，微笑着说：“师傅，我去教书了。我知道，你会点头。”

14

宋达在小学教书，上下称誉。

他不仅知识丰富，口才无碍，而且眼界开阔，深察人情。

学校遇到了什么事情，他又善于处置，敢于担当。这种种优点，都来自于信客生涯的历练，而现在，却成了这所中心小学的主心骨。

不久，他被任命为校长。

在他担任校长期间，这所小学的教育质量在全省属于上乘。不少毕业生后来在各个领域成果出色。整个学校充满快乐，连全省几位著名的马拉松运动员，也出自这所学校。

有一次，省教育厅召集校长开会，一位刚刚调来的副厅长在报告中以自己的经历来说明文化传递的力量。

这位副厅长是女性，已经五十多岁了，是一位很有名望的教授。头发已经花白，但一眼看上去，依然极有气质。

“我十七岁就结婚，是早婚。”副厅长微笑着说，“结婚那天，一位信客正好路过撞着。他以前曾把我戏称为干女儿，因此就要送礼了。急急忙忙间，你们猜他送了什么礼？他居然到书店捆了一叠商务印书馆和中华书局的优秀读物给我。因为是结婚礼物，他不知从哪里弄来一条红缎带，把那叠书捆扎得漂漂亮亮。我真要感谢这些书，把我变成了另外一个人。我居然在结婚后还去考了大学，这在当时不可思议。因此，我一直把捆书的红缎带留着，有时还用来扎头发。因为，它是文化传递的信号。”

说到这里，副厅长站起身来，把头一扭，说：“这么多年了，今天，我还扎着它！”

果然，茂密的花白头发间扎着一条红缎带。由于时间久了，红缎带已经失去鲜亮，却与头发十分协调。

副厅长边说，边扭动了一下身子，展现早年曾经有过的俏丽和活泼。

台下掌声一片。

会议结束后，宋达找到了副厅长。

宋达说：“副厅长，你是绍兴人吗？”

“是啊，你怎么知道？”副厅长饶有兴趣。

“我还知道，在你这条红缎带上，画着一个小圆圈！”宋达指了指副厅长花白的头发。

这下，副厅长一下拉住了宋达的手，语气有点慌乱：“宋校长，我每次拿起这条缎带时都要看一眼这个小圆圈，但别人都不知道，包括我的丈夫和孩子，你……”

说着，副厅长把缎带从头上解了下来，翻出了那个小圆圈。

宋达细细看了看那个小圆圈，轻轻地摇了摇头，然后闭起眼睛，又摇了摇头。

宋达抬起头来对副厅长说：“这事说来话长。下午不开会，你如果有空，我来慢慢告诉你。”

宋达觉得对这件事，自己还需要从心里消化一下。

15

太怪异了，宋达想。一个小圆圈，轻轻地画在缎带上，一晃几十年，竟然出现在自己眼前。

这个小圆圈画得又小又淡，但它却改变了一切。它断送了老信客的大半辈子，断送了他与几位老友的关系，断送了那几位老友的多年心境，断送了老信客与村庄的情分，与上海的情分，与一路的情分，与无数客栈、食摊、掌柜的情分，与一个个女友和男友的情分。这个又小又淡的小圆圈把他圈住了，圈在深山墓地，圈在人世之外，圈在无法申述、无可自辩的永久沉默之中。

但是，这个小圆圈，知道自己有那么大的拖牵吗？当然不知道。它甚至不知道，自己究竟是什么，为何承担着那么大的罪责。

除了罪责，它还承担着光荣。它捆扎过一堆优秀的书籍，当这些书籍被灌输到一位女性的头脑，它又捆扎过这位女性的头发。这两度捆扎，都与一个地方的文明相关。

其实，一切罪责和光荣，都与它无关。因为它只是一个匆忙中的涂画，一个带有一点友情疑问的粗浅记号。

遥想出事那天，老信客多么想对族长、村长和全体乡亲说明真相，但他很快知道，怎么也说不清了。更惊人的是，从事情的发生直到自己去世，他本人都没有见过这个由余叶渡画下的小圆圈。

这正如，天下一切被“圈”住的人，都不知道圆圈的模样。

老信客更没有想过，那条缎带和那个圆圈后来去了哪里。因为按照常理，早就成了垃圾。不错，几乎所有与历史真实相关的细节，都成了垃圾。万一没有成为垃圾也没有价值，因为谁也不知道它们的含义。连拥有者，也不知道。

宋达在学校里还在讲授历史课。历史？历史真实？历史证据？历史恩怨？历史陷阱？历史公正？……一条缎带，一个圆圈，就拖牵出了无数的疑问，而且，都是不可能有正解的疑问。

把这件小事与历史连在一起，是小题大做吗？不是。我们前面说过，信客支撑过两种文明。与信客有关的疑问，就是历史的疑问。

没有疑问的，只是老信客对自己的信任。

但是，宋达还是犯困了：自己的信任，够了吗？一件好事被大家都看成了坏事，大家也都受到了蒙骗，那么，什么时候才能向大家证明是好事？又如何证明？

结论似乎是：漠视证明。

漠视证明之路，就像是没有栏杆、没有缆索的险峻山路，随时可能滑跌下来，究竟能走多远？

脚力肯定不够，那就凭心力吧。心力也难支撑，那就任天力吧。

这就是信客之路。

其实，大家都是信客。

图书在版编目（CIP）数据

空岛 / 余秋雨著. -- 北京：作家出版社，2015. 3
ISBN 978-7-5063-7892-5

Ⅰ. ①空… Ⅱ. ①余… Ⅲ. ①长篇小说 - 中国 - 当代
Ⅳ. ①I247.5

中国版本图书馆CIP数据核字（2015）第054961号

空　岛

作　　者： 余秋雨
责任编辑： 王淑丽
特约编辑： 戚　亚
装帧设计： 张晓光
责任印制： 李卫东　李大庆
出版发行： 作家出版社
社　　址： 北京农展馆南里10号　　**邮　　编：** 100125
电话传真： 86-10-65930756（出版发行部）
86-10-65004079（总编室）
86-10-65015116（邮购部）
E-mail:zuojia@zuojia.net.cn
http://www.haozuojia.com（作家在线）
印　　刷： 三河市北燕印装有限公司
成品尺寸： 152×230
字　　数： 160千
印　　张： 16
印　　数： 001-100000
版　　次： 2015年4月第1版
印　　次： 2015年4月第1次印刷
ISBN 978-7-5063-7892-5
定　　价： 36.00元